Dominique
Chassé

Richard
Prégent

Préparer
et donner
un exposé

Contient un cédérom

Deuxième édition

PRESSES INTERNATIONALES
POLYTECHNIQUE

Conception graphique et mise en pages
MARTINE MAKSUD

Couverture
CYCLONE DESIGN

Conception et réalisation du cédérom
IDÉES AU CUBE

Pour connaître nos distributeurs et nos points de vente,
veuillez consulter notre site Web à l'adresse suivante :
www.pressespoly.ca

Nous reconnaissons l'aide financière du gouvernement du Canada par l'entremise du Fonds du livre du Canada pour nos activités d'édition.

Gouvernement du Québec – Programme de crédit d'impôt pour l'édition de livres – Gestion SODEC.

Réimpression, automne 2009

ISBN : 978-2-553-01400-0
Dépôt légal : 3e trimestre 2005
Bibliothèque et Archives nationales du Québec
Bibliothèque et Archives Canada

Presses internationales Polytechnique
C.P. 6079, succ. Centre-ville
Montréal (Québec) H3C 3A7
Canada
Tél. : 514 340-3286
Téléc. : 514 340-5882
pip@polymtl.ca

Table des matières

Avant-propos

Nous avons le plaisir de présenter ici une deuxième édition substantiellement remaniée de cet ouvrage conçu à l'origine pour les étudiants[1] de premier cycle de l'École Polytechnique de Montréal, et que nous destinons maintenant à un public élargi. En le parcourant, on constatera, d'une part, que l'ensemble du texte a été mis à jour et, d'autre part, que certaines parties ont été complètement transformées.

Nous avons ainsi approfondi les principes de conception et d'utilisation des supports visuels. Nous avons également développé et précisé les explications relatives à l'analyse d'un mandat d'exposé, à la formulation d'objectifs de communication et à la confection du plan qui doit en découler. Les annexes ont été refaites elles aussi : on y trouve un aide-mémoire récapitulatif de l'ensemble de la démarche décrite dans le corps du guide, deux variétés distinctes de grille d'évaluation d'un exposé, adaptées à des contextes d'utilisation différents, et enfin une liste de conseils pratiques pour la conception et l'utilisation des supports visuels, dont la moitié porte désormais sur les diapositives électroniques de type PowerPoint.

En outre, notre guide contient maintenant un **cédérom**, qui montre en vidéo ce que nous expliquons dans notre texte à propos des habiletés de communication à mettre en pratique quand on donne un exposé. Mais le contenu du cédérom ne se limite pas à ce côté des choses : on y couvre tous les aspects de la préparation et de la présentation d'un exposé, comme dans le guide, mais de façon plus succincte que dans le guide. En ce sens, guide et cédérom forment chacun un tout complet, «autoportant». Cependant, si l'un peut aller sans l'autre, ils vont très bien ensemble ! Le tableau ci-dessous compare la structure des deux ressources.

---

1. Par souci de lisibilité et pour éviter d'alourdir le texte, le masculin est utilisé comme générique dans cet ouvrage.

Comparaison entre le contenu du guide et du cédérom

GUIDE	CÉDÉROM
Préparer l'exposé	
:: Explique en détail les 9 étapes de préparation	:: Résume les 9 étapes de façon schématique
Donner l'exposé	
:: Explique en détail les 7 habiletés de communication	:: Résume les 7 habiletés de communication de façon schématique
	:: Montre des exemples commentés sur vidéo pour 2 cas types d'exposé
S'exercer	
:: Présente brièvement 2 façons de s'exercer	:: Présente de façon humoristique un florilège de contre-exemples sur vidéo (section *En savoir plus*)
Annexes ou autres compléments	
Comprend les outils suivants :	Comprend les outils suivants :
:: Aide-mémoire pour la préparation et la présentation de l'exposé	:: Fiches de travail pour la préparation de l'exposé (canevas à remplir et à imprimer)
	:: Fiches aide-mémoire pour la présentation de l'exposé
:: Deux grilles d'évaluation (niveau débutant et niveau intermédiaire)	:: Grille d'évaluation (niveau débutant)
:: Conseils pratiques pour la conception et l'utilisation des supports visuels	

Conseils d'utilisation
Personnes peu expérimentées

:: Lire d'abord le guide. Le sujet y est traité de manière systématique à travers des explications et des exemples qui devraient aider à faire comprendre à la fois le comment et le pourquoi de la démarche proposée.
:: Compléter la lecture du guide avec le cédérom.

Regarder :
:: Les capsules vidéo de la partie *Donner*, qui montrent la façon dont on peut mettre en pratique les habiletés de communication.
:: La collection humoristique de contre-exemples sur vidéo présentée dans la partie *S'exercer* (section *En savoir plus*).

Utiliser :
:: Les fiches de travail destinées à la préparation de l'exposé.
:: La grille d'évaluation lorsqu'on est prêt à s'exercer.

Personnes assez expérimentées
Accéder directement au cédérom.
:: Réviser l'essentiel de la démarche de préparation (partie *Préparer*).
:: Regarder les capsules vidéo montrant les habiletés de communication (partie *Donner*).
:: Regarder les deux capsules vidéo de contre-exemples (partie *S'exercer*, section *En savoir plus*).
:: Utiliser les fiches de travail et les fiches aide-mémoire associées respectivement au volet *Préparer* et au volet *Donner*.
:: Consulter la grille d'évaluation au moment de s'exercer (partie *S'exercer*).

Consulter le guide pour revoir ou approfondir au besoin certaines techniques de travail. L'aide-mémoire (annexe A) peut constituer un raccourci efficace pour repérer l'information recherchée. Voir aussi les *Conseils pratiques pour la conception et l'utilisation des supports visuels* (annexe C) et la grille d'évaluation pour orateur de niveau intermédiaire (annexe B).

Bon travail !

Introduction

Vos études ou votre travail vous amènent peut-être à prendre la parole en public et à faire des exposés : pour défendre votre point de vue et faire valoir vos arguments lors de réunions ; pour expliquer vos positions ou vos recommandations à des collègues ou à des professionnels d'autres disciplines ; pour présenter un travail de recherche dans le cadre d'un cours ou d'un séminaire ; etc. Peut-être même vous faut-il donner des communications ou des conférences.

:: Comment vous préparer à chacun de ces exposés ?
:: Quels comportements adopter pour communiquer efficacement ?
:: Comment vous exercer à donner ces exposés ?

Nous répondons à ces trois questions dans les pages qui suivent. Nous supposons que, comme nous, c'est le côté pratique et non théorique de la communication orale qui vous intéresse surtout. C'est pourquoi nous avons articulé ce guide sur l'expérience concrète. Ainsi, l'ordre des différentes parties du texte correspond à celui des phases d'élaboration d'un exposé.

Comme l'illustre la vue d'ensemble de la figure 1, nous expliquons d'abord les neuf étapes à franchir pour préparer efficacement un exposé de bonne tenue. Nous traitons ensuite des sept habiletés de communication que doit maîtriser un bon orateur. Enfin, pour vous permettre d'identifier à temps vos forces et vos faiblesses, nous présentons deux manières de vous exercer avant l'exposé.

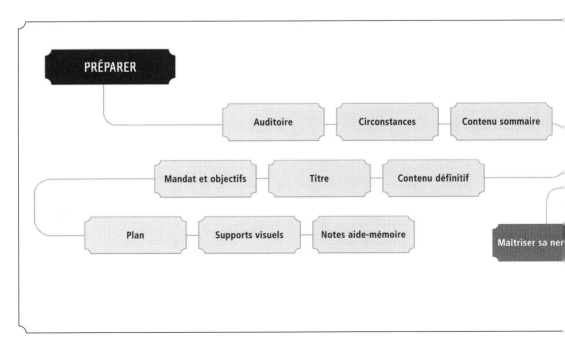

Figure 1 - Vue d'ensemble des travaux à réaliser pour faire un exposé.

Le **cédérom** joint à cet ouvrage synthétise toute cette information, mais surtout il montre au moyen de clips vidéo la façon dont on met en pratique les habiletés de communication quand on donne l'exposé.

Nous envisageons dans notre texte des exposés courts, de type conférence, conçus pour une seule et unique prestation. Par conséquent, la démarche que nous proposons n'est pas directement applicable à des exposés magistraux scolaires étalés, par exemple, sur un trimestre, comme en font les professeurs dans leur classe.

La complexité pédagogique de ce dernier type d'exposé requiert une méthode de préparation et de présentation différente de celle que nous décrivons dans notre guide, bien que les mêmes principes régissent les deux situations de communication.

Si vous lisez ce texte, c'est vraisemblablement parce que vous avez, dans l'immédiat, au moins un exposé à préparer. Nous vous proposons des outils complémentaires pour vous aider dans cette tâche. Ainsi, vous trouverez dans l'annexe A un aide-mémoire qui vous permettra de ne rien oublier dans la planification de votre exposé. Le **cédérom** reprend la matière de cet aide-mémoire sous forme de fiches, dont certaines peuvent être remplies à l'écran et imprimées.

Nous proposons aussi, dans l'annexe B, deux grilles d'évaluation : la première permet de donner une rétroaction détaillée à un orateur débutant ou peu expérimenté. Elle est reprise dans le cédérom. La deuxième grille, plus globale, convient bien à l'évaluation d'orateurs de niveau intermédiaire.

Dans le but, enfin, de fournir aux utilisateurs de ce guide une panoplie complète d'instruments de travail, nous présentons, dans l'annexe C, une liste de conseils pratiques pour la conception et l'utilisation des supports visuels.　❑

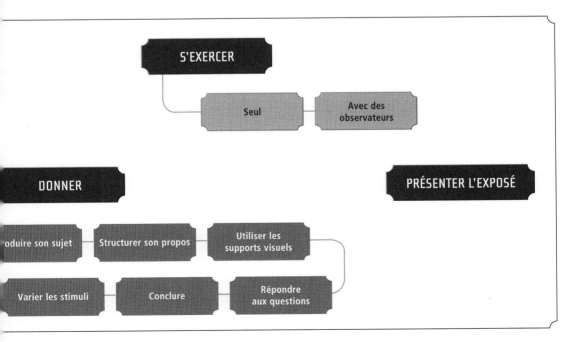

Préparer l'exposé

Un auditoire attend d'un orateur qu'il maîtrise son sujet et qu'il le livre avec intérêt et concision. L'auditoire souhaite que l'orateur s'exprime clairement et de façon structurée. De plus, il apprécie que l'orateur adapte ses explications à son niveau d'entendement et à ses attentes ; il souhaite enfin qu'on lui fournisse des supports visuels lisibles et pertinents.

> **Pour répondre à ces exigences, nous vous proposons de suivre, dans la préparation de vos exposés, une démarche en neuf étapes :**
>
> 1. Adapter l'exposé à l'auditoire;
> 2. Adapter l'exposé aux circonstances ;
> 3. Définir sommairement le contenu de l'exposé ;
> 4. Préciser le mandat et les objectifs de l'exposé ;
>
> 5. Formuler le titre de l'exposé ;
> 6. Déterminer le contenu définitif de l'exposé ;
> 7. Bâtir le plan de l'exposé ;
> 8. Préparer les supports visuels de l'exposé ;
> 9. Préparer des notes aide-mémoire.

L'ordre dans lequel nous enchaînons les neuf étapes n'est pas un absolu. Par ailleurs, il ne faut pas voir la démarche de préparation de l'exposé comme un parcours rectiligne où on en finit une fois pour toutes avec une étape avant de passer à la suivante, sans jamais revenir en arrière. Le processus tient plutôt d'un va-et-vient constant entre les différentes étapes. Ainsi, au moment de préciser le mandat et les objectifs de communication (étape 4), il faut revenir sur les caractéristiques de l'auditoire (étape 1) pour effectuer certains ajustements indispensables. Par ailleurs, quand on établit une première esquisse du contenu de l'exposé (étape 3), on est amené à anticiper sur une opération ultérieure, la détermination du contenu définitif de l'exposé et l'information à rechercher, selon le cas, (étape 6), etc. En un mot, le découpage des étapes et leur chronologie doivent vous guider et non vous contraindre.

En revanche, la somme même des étapes à franchir pour bien préparer un exposé engendre une contrainte que vous ne pouvez pas vous permettre d'ignorer : il faut du temps pour bâtir un exposé. C'est pourquoi votre toute première tâche consistera à planifier un calendrier de travail ordonné en fonction du délai dont vous disposez, de la difficulté de l'exposé et des neuf étapes à franchir. Au moins une fois au cours de votre préparation, vous devrez faire le point sur l'avancement de votre travail et, s'il y a lieu, réajuster votre calendrier.

1re étape - Adapter l'exposé à l'auditoire

Que vous vous adressiez à une seule personne ou à un groupe nombreux, un principe devrait toujours guider toutes les étapes de la préparation de votre exposé. Si vous voulez vraiment communiquer avec les gens, dites-leur les choses en faisant appel à leur propre expérience. En effet, les gens écouteront attentivement tout ce qui les touche de près ; ils laisseront leur esprit vagabonder si vous devenez trop général ou trop abstrait.

Pour être capable de vous référer à l'expérience de votre auditoire, il vous faut évidemment savoir en quoi elle consiste. Vous y arriverez en établissant le profil des personnes susceptibles de composer votre public.

Imaginons, par exemple, qu'une association professionnelle vous demande un exposé sur l'impact de l'interdiction des pesticides dans les régions agricoles du Québec. Le sujet peut attirer des auditoires fort différents ; à vous de voir quel serait le vôtre. Vous n'invoquerez certainement pas les mêmes arguments suivant que vous vous adressez à des écologistes universitaires ou aux maires des municipalités de ces régions. Les uns s'attendront à un exposé technique, les autres voudront connaître l'étendue des conséquences et le coût des solutions pour leurs concitoyens.

Encore une fois, les caractéristiques du public sont susceptibles d'orienter les propos de l'orateur, de déterminer le niveau de ses explications, ou encore de lui faire choisir certains arguments ou exemples de préférence à d'autres. C'est pourquoi la première étape de la préparation d'un exposé consiste à évaluer l'auditoire et à adapter l'exposé en conséquence. Vous pouvez le faire en analysant les caractéristiques de cet auditoire et ses dispositions vis-à-vis du sujet et de vous-même. Pour y arriver, vous devrez peut-être vous informer auprès des personnes qui vous ont demandé l'exposé ou même contacter des membres de l'auditoire visé.

> **La taille de votre auditoire va influencer vos comportements lors de l'exposé. Il faut vous préparer en conséquence.**

◆ **Taille du groupe.** La taille de votre auditoire va influencer vos comportements lors de l'exposé. Il faut vous préparer en conséquence. Ainsi, dans le cas d'un **groupe nombreux** (30 personnes et plus), vous vous sentirez généralement plus nerveux, puisque, dans ces conditions, le discours est plutôt magistral et que toute la responsabilité de la communication repose sur vos épaules. En effet, il vous sera impossible, à cause de la taille de l'auditoire, d'obtenir assez de rétroaction pour réajuster instantanément votre propos.

De plus, pour favoriser l'attention, vous devrez vous appuyer sur une structure simple mais assez stricte, ne laissant place ni à l'improvisation ni à la digression, au risque de perdre l'attention d'une partie de votre auditoire. Cette rigueur vous conduira généralement à adopter un ton plutôt formel. L'utilisation du microphone et de moyens d'amplification visuelle (diapositives, transparents) devient alors une nécessité, ce qui ne simplifie pas la tâche d'un orateur, *a fortiori* celle d'un débutant.

Devant un **groupe de taille moyenne** (10 à 30 personnes), votre exposé pourra être moins formel, mais malgré tout bien structuré. Avec un auditoire de cette taille, vous pouvez sans trop de risque accepter les questions pendant l'exposé ; vous aurez ainsi la possibilité de recevoir du feedback, ce qui vous donnera l'agréable impression de partager, en quelque sorte, la responsabilité de la communication avec votre public. Cependant, vous devrez prévoir suffisamment de temps pour les interruptions de l'auditoire, sous peine de ne pouvoir couvrir votre sujet dans le laps de temps alloué. L'emploi de moyens d'amplification visuelle, sans être indispensable, est recommandé.

Enfin, dans le cas d'un **petit groupe** (2 à 10 personnes), le discours ne doit certainement pas être magistral, puisque la taille réduite de l'auditoire invite au dialogue et à la rétroaction. Mais, là encore, le discours doit être bien structuré ; les questions sont évidemment bienvenues ; l'improvisation est possible, mais il faut toujours respecter le temps alloué. L'emploi de supports visuels (diapositives, tableau, photocopies) est à considérer selon le sujet traité et le contexte.

◆ **Formation.** Prenez toujours soin d'ajuster le niveau de difficulté de votre exposé (traitement du sujet et discours) au niveau de scolarité ou à la formation de votre public.

◆ **Occupation.** Si vous êtes renseigné sur l'occupation ou le champ d'activité des membres de votre auditoire, vous pourrez éventuellement faire des rapprochements entre votre sujet et le monde de leurs expériences. La communication s'en trouvera améliorée.

Dans un autre ordre d'idées, il peut arriver que les hautes fonctions de certains membres de votre auditoire vous imposent un protocole qu'il serait maladroit d'enfreindre. Par exemple, si un doyen de faculté ou un p.-d.-g. assiste à votre exposé, il convient de signaler leur présence au début de votre intervention. Un orateur habile saura même

mettre à profit cette conjoncture pour parvenir à ses fins.

◆ **Âge.** Chaque génération s'identifie plus ou moins à un certain nombre de valeurs et d'expériences, ce qui la distingue d'ailleurs des générations qui la précèdent ou la suivent. Ainsi, si vous prenez des exemples qui ne touchent pas le groupe d'âge auquel appartiennent les gens qui vous écoutent, vous risquez de demeurer incompris. Par ailleurs, si vous dépréciez des valeurs communes à des gens d'un groupe d'âge donné dans l'auditoire, ils pourront se sentir froissés et se fermer pour le reste de l'exposé.

◆ **Culture.** La mentalité, la nationalité ou l'origine des membres de l'auditoire, leurs convictions religieuses ou politiques, autrement dit la culture du public auquel vous devez vous adresser est une donnée dont vous devez tenir compte dans l'exposé. Un orateur averti doit s'affranchir des préjugés faciles ayant trait aux particularités culturelles. Dans vos exposés, ne vous aventurez jamais à discréditer une culture quelconque. Montrez-vous toujours respectueux des traditions et valeurs étrangères aux vôtres. Et gare aux stéréotypes sexistes !

◆ **Intérêt pour le sujet.** Les sujets d'exposés ne sont pas tous aussi passionnants les uns que les autres. De plus, si l'on a affaire à un auditoire captif, c'est-à-dire obligé d'assister à l'exposé, comme c'est souvent le cas en contexte scolaire, l'intérêt peut encore varier considérablement suivant l'humeur des personnes et suivant le propos à l'ordre du jour. Un sujet facile, populaire et accrocheur exigera moins

17

d'efforts de la part de l'orateur. Par contre, un sujet compliqué, technique ou spécialisé exigera qu'on le rende plus accessible en le vulgarisant ou, du moins, en prévoyant de nombreux exemples ou illustrations susceptibles d'apprivoiser et d'éclairer l'auditoire.

◆ **Expérience et connaissances dans le domaine.** On remarque souvent un indice de corrélation élevé entre l'intérêt pour un sujet d'exposé et la connaissance ou l'expérience qu'on a de ce sujet. Par exemple, les amateurs de surf des neiges s'intéresseront vivement à un exposé, même technique, sur les principes aérodynamiques en cause dans la conception d'une nouvelle planche à neige. Si votre auditoire est déjà raisonnablement informé sur le sujet, vous pourrez vous permettre un exposé plus technique et plus fouillé. Dans le cas contraire, vos explications devront rester élémentaires. À cet égard, l'orateur qui s'adresse à un groupe aux connaissances hétérogènes et qui cherche à maintenir un niveau d'attention élevé se trouve dans une situation difficile.

◆ **Attitude envers le sujet.** Certains sujets prêtent d'emblée à la controverse : l'avortement, l'énergie nucléaire, le traitement des toxicomanes, l'aide aux pays en voie de développement, etc. D'autres sujets sont réputés ennuyants ou rébarbatifs. Si vous devez traiter de tels sujets, tentez de connaître à l'avance la position de votre auditoire afin de ne pas être pris au dépourvu par son agressivité ou, au contraire, par son inertie.

◆ **Attitude envers l'orateur.** Plusieurs facteurs donnent de la crédibilité à un orateur : ses titres, ses diplômes, sa profession, son statut d'expert, sa réputation d'enthousiasme, d'honnêteté ou de franchise, son sens critique, etc. Plus vous paraîtrez crédible, plus l'auditoire sera enclin à vous écouter. C'est pourquoi il ne faut jamais commencer un exposé en vous excusant de manquer de préparation ou d'expérience. En agissant de la sorte, vous détruirez dès le départ la crédibilité dont vous jouissez déjà. Votre auditoire était neutre et même bienveillant à votre égard, il craint maintenant de s'ennuyer à cause du manque de préparation dont vous avez eu la maladresse de vous accuser. Si un collègue vous présente et souligne certaines de vos qualités, votre modestie sera peut-être mise à l'épreuve, mais ne le démentez pas ; profitez au contraire de la crédibilité supplémentaire qui vous est offerte.

2ᵉ étape – Adapter l'exposé aux circonstances

Nous avons vu que certaines caractéristiques de l'auditoire étaient susceptibles de modifier le contenu ou la forme de votre exposé. Nous verrons maintenant comment l'occasion, le lieu et ses installations techniques, votre rang parmi les orateurs, ou un événement extérieur peuvent jouer pour vous aussi bien que contre vous.

◆ **Contexte et style d'exposé.** Vous devez prendre la parole dans un cours, une réunion de travail ou devant le comité exécutif de l'entreprise pour laquelle vous travaillez. Suivant le contexte, votre ton et votre degré de nervosité varieront considérablement. Chaque circonstance a ses exigences propres : aux unes, le formalisme verbal et vestimentaire; aux autres, le style décontracté. L'important, c'est d'identifier les contraintes auxquelles vous devrez vous soumettre selon le cas.

◆ **Durée.** Si vous êtes un orateur consciencieux, vous vous ferez un point d'honneur de respecter votre temps de parole : c'est une marque de respect élémentaire envers l'auditoire. La limite du temps de parole est une contrainte déterminante pour toute la conception de votre exposé. De toute évidence, vous ne pourrez en quinze minutes couvrir la même quantité de matière qu'en une heure. Vous n'utiliserez pas non plus les mêmes stratégies d'exposé, ni le même nombre de supports visuels. Autrement dit, la limite de temps qui vous est imposée a des répercussions sur presque tous les aspects de votre exposé : vous devez donc la garder en tête du début à la fin de votre préparation.

◆ **Position dans l'horaire.** Un auditoire n'a pas la même capacité d'attention le matin qu'en fin de journée après avoir vu défiler plusieurs orateurs. Si vous êtes le premier à parler, ce sera à vous de briser la glace. Si, dans le cadre d'un colloque par exemple, vous intervenez au milieu de la journée, vous devrez vous informer du contenu des interventions qui ont précédé et qui suivront la vôtre, afin de vous y adapter ou de vous y référer le cas échéant. Si vous êtes le dernier, soyez bref, et respectez votre temps scrupuleusement. Vérifiez si la période de questions prévue a été prise en compte dans votre horaire. Enfin, cherchez à savoir si l'animateur est très strict quant à la durée des interventions. Ne négligez aucun de ces points.

◆ **Événements extérieurs.** Certains événements extérieurs, l'actualité, par exemple, peuvent éventuellement vous permettre de relier votre sujet à des expériences vécues par votre auditoire. Toutefois, les circonstances risquent aussi de jouer contre vous : si vous devez présenter un exposé un soir, juste à la veille d'un congé auquel tout le monde aspire, vous seriez bien malvenu de dépasser le temps de parole qui vous a été imparti. Autrement vous risquez de voir vos auditeurs s'agiter dans la salle et consulter leur montre au fur et à mesure que votre retard augmente. Évaluez les avantages et les inconvénients que peuvent présenter de telles circonstances.

> **Calibrez l'exposé de façon à respecter scrupuleusement votre temps de parole : c'est une marque de respect envers l'auditoire.**

◆ **Salle et installations.** Connaissez-vous la salle où vous aurez à prendre la parole ? Quelles sont ses dimensions ? Y a-t-il des tables ? Comment sont-elles disposées ? Aurez-vous besoin d'un ordinateur, d'un lutrin, d'un microphone ou d'appareils de projection ? L'écran sera-t-il près de vous ? La visibilité est-elle bonne de partout ? Y a-t-il des prises de courant à votre portée ? Aurez-vous besoin de fils de rallonge ou de commandes à distance ? Aurez-vous besoin d'un pointeur ?

La salle de conférence d'une entreprise ou d'un grand hôtel n'est pas équipée de la même façon qu'une salle de classe. C'est donc à vous de prévoir tout le matériel dont vous aurez besoin et de faire disposer le mobilier de façon adéquate. Votre confort et votre plaisir à communiquer, comme celui de l'auditoire à vous écouter, en dépendent.

>> 3ᵉ étape - Définir sommairement le contenu de l'exposé

Une fois que vous avez analysé les caractéristiques de l'auditoire et les circonstances de votre intervention, vous pouvez passer à la troisième étape de la préparation et définir sommairement le contenu de l'exposé. Il ne s'agit pas encore ici de faire un plan, mais plutôt d'établir une liste sommaire des points que vous pensez couvrir. Prenons le cas d'une étudiante en génie biomédical ayant fait un travail sur le traitement de la scoliose (voir sur le **cédérom** les séquences de l'exposé de Chantal Bisson). À ce stade-ci, elle se contentera de faire un survol de ses connaissances et de sa documentation, et de sélectionner les éléments qui lui paraissent les plus importants et les plus pertinents. Sa liste pourra ressembler à ceci :

> Commencez par faire une liste sommaire des points que vous pensez couvrir.

Tableau 1 - Exemple d'une liste sommaire de points à couvrir
(projet d'exposé sur le traitement de la scoliose)

1. **Phénomène de la scoliose** Déformation de la colonne vertébrale Personnes touchées	5. **Modélisation d'un corset 3D** Tronc du patient Surface et couches du corset
2. **Différents types de scoliose** Dorsale Lombaire Autres	6. **Méthodologie de modélisation suivie dans ma recherche** Points de contact Conditions limites
3. **Traitements de la scoliose** Par chirurgie Par corset	7. **Résultats de l'expérience**
4. **Différents types de corset** Corset de Milwaukee Corset de Boston Corset à 3 valves Corset plâtré Corset 3D	8. **Comparaison avec d'autres résultats (matrice de pression)**

Au fur et à mesure qu'on avance dans la préparation, la sélection se raffine : on est amené à regrouper ou à retrancher des éléments, selon le mandat qu'on doit remplir dans le cadre de l'exposé, selon aussi les objectifs de communication qu'on se fixe (voir la 4e étape, ci-dessous), et enfin selon ce que peut nous apprendre une nouvelle collecte d'information (voir plus loin, la 6e étape).

4e étape – Préciser le mandat et les objectifs de l'exposé

Préciser le mandat

Même si vous avez déjà une bonne idée des points qu'il vous serait possible d'aborder dans votre exposé, il vous faut encore réfléchir à la façon dont vous allez en parler. L'orientation générale de votre intervention vous est dictée par le mandat que vous devez remplir en faisant l'exposé. Littéralement, le mandat, c'est «ce qui est demandé». Autrement dit, qu'attend-on de l'exposé ? Doit-il surtout informer et rester purement descriptif ? Doit-il convaincre ? Doit-il amener à une décision sur un point quelconque ? Doit-il déboucher sur des recommandations ? Etc.

Une fois que vous avez bien saisi la teneur du mandat, il faut déterminer des objectifs de communication qui permettront de remplir adéquatement le mandat en question. Par exemple, devrez-vous *analyser un cas* ? *rapporter des résultats* ? *justifier des résultats* ? *comparer des avantages et des inconvénients* ? etc. Ce sont là des objectifs de communication différents et que l'on atteint par des moyens distincts.

Préciser les objectifs de communication

◆ **Définition d'un objectif.** Un objectif est une cible à atteindre. Dans le contexte d'un exposé, les objectifs expriment les intentions de communication de l'orateur. Les objectifs prennent habituellement la forme de courts énoncés décrivant des actions. C'est pourquoi, nous le verrons plus loin, l'énoncé d'un objectif commence toujours par un verbe désignant une action observable.

◆ **Utilité des objectifs.** Le fait de préciser les objectifs d'un exposé présente quatre principaux avantages. Le premier vient du fait que la formulation explicite d'une intention de communication s'accompagne nécessairement d'un effort de précision rigoureux. Or il est impossible de communiquer à autrui ce que l'on parvient difficilement à formuler pour soi-même...

Le deuxième avantage qu'il y a à formuler des objectifs, c'est que leur nombre et leur répartition, une fois déterminés, vous guideront dans la façon de diviser votre plan d'exposé.

Les objectifs de communication sont aussi très commodes au moment de livrer l'exposé. En effet, vous pouvez en faire part à votre auditoire dès le début de votre présentation, et leur manifester ainsi clairement vos intentions. La communication n'en sera que plus claire et plus facile.

Enfin, le dernier avantage qu'apporte la formulation des objectifs, c'est de permettre à l'auditoire d'évaluer l'efficacité de votre exposé. Si vos objectifs sont flous, votre auditoire ne pourra le faire que d'une façon arbitraire et subjective. Par contre, si vous avez des objectifs bien définis, il lui sera facile de voir si vous avez effectivement réalisé vos intentions de communication.

◆ **Façon de formuler des objectifs.** Pour préciser ce que vous voulez faire durant votre exposé, nous vous recommandons de formuler successivement deux types d'objectifs : d'abord, vous énoncerez des objectifs généraux ; ensuite, vous détaillerez la tâche globale que représente chaque objectif général en un certain nombre d'objectifs spécifiques.

tion des objectifs généraux va vous obliger à mieux préciser quels points vous voulez traiter et surtout ce à quoi vous voulez arriver relativement à chacun des points retenus.

Une liste d'éléments de contenu ne dit pas en elle-même ce que vous allez faire par rapport aux éléments énumérés. La rédaction d'objectifs généraux, au contraire, vous force à décrire les «actions générales» à réaliser pour concrétiser vos intentions de communication.

Par exemple, si l'on revient à l'exposé de l'étudiante en génie biomédical sur le traitement de la scoliose (voir plus haut, la 3e étape), on pourrait imaginer, pour les mêmes contenus, deux séries d'objectifs de communication différents (tabl. 2), qui traduisent des intentions de communication différentes, et donneraient donc lieu à des exposés assez différents.

Un exposé qui se baserait sur la série d'objectifs A accorderait beaucoup plus d'importance et de temps aux deux premiers points qu'aux autres. En

Figure 2 - Du contenu aux objectifs.

La figure 2 schématise le processus. On formule les objectifs généraux à partir de la liste des points qu'on envisageait d'aborder à l'origine. La rédac-

effet, *analyser* et *expliquer* sont des opérations d'approfondissement assez complexes et qui demandent un certain temps. Au contraire, *mentionner*

Tableau 2 - Deux séries d'objectifs de communication
pour des contenus identiques
(projet d'exposé sur le traitement de la scoliose)

Série d'objectifs de communication A	Série d'objectifs de communication B
:: ANALYSER ce qu'est une scoliose	:: MENTIONNER ce qu'est une scoliose
:: EXPLIQUER les deux formes de traitement	:: CITER les deux formes de traitement
:: JUSTIFIER la méthodologie de modélisation d'un corset	:: EXPLIQUER la méthodologie de modélisation d'un corset
:: MONTRER les résultats obtenus	:: ANALYSER les résultats obtenus
:: etc.	:: etc.

et *citer* sont des opérations simples et brèves, qui ne visent pas l'approfondissement mais qui sont tout à fait appropriées pour transmettre des informations jugées d'importance mineure dans certains contextes.

Selon la durée de l'exposé, les caractéristiques de l'auditoire, etc., on pourra décider de retenir un seul de ces objectifs généraux, peut-être plusieurs, qu'il faudra réviser en fonction du mandat et des diverses contraintes à respecter.

La formulation des objectifs généraux d'un exposé est une étape importante, car chacun des objectifs généraux détermine habituellement comment orienter une idée maîtresse de l'exposé. Le plus souvent, à chaque objectif général correspond une grande division, ou point principal, dans le plan de l'exposé. Il est par ailleurs possible que l'atteinte d'un objectif général nécessite plus d'un point principal dans le plan.

Une fois les objectifs généraux formulés, vous les détaillez en sous-objectifs, appelés objectifs spécifiques. Les objectifs spécifiques décrivent les actions que vous entendez réaliser pour atteindre chacun des objectifs généraux.

À moins que vous ne soyez professeur, les exposés que vous aurez à livrer seront généralement d'assez courte durée (10 à 30 minutes); par conséquent, il serait peu réaliste de formuler un trop grand nombre d'objectifs. Ne dépassez pas cinq objectifs généraux et limitez à quatre ou moins le nombre d'objectifs spécifiques associés à chaque objectif général. N'essayez pas de tout voir, de tout dire. À vouloir trop en faire, vous risquez de perdre votre auditoire et de nuire à vos intentions de communication.

Vous trouverez au tableau 3, à titre indicatif, une liste de verbes utiles dans la formulation de vos objectifs.

N'essayez pas de tout voir, de tout dire. À vouloir trop en faire, vous risquez de perdre votre auditoire et de nuire à vos intentions de communication.

Tableau 3 - Liste de verbes utiles pour formuler des objectifs
de communication

Par ordre alphabétique

:: analyser

:: calculer, choisir, citer, clarifier, classer,
commenter, comparer, critiquer

:: décrire, déduire, défendre, définir, délimiter,
démontrer, différencier, discuter

:: élaborer, énoncer, énumérer, esquisser, estimer,
examiner, expliquer, évaluer

:: formuler

:: identifier, illustrer, indiquer

:: justifier

:: mentionner, mesurer, montrer nommer

:: présenter, proposer

:: quantifier

:: rappeler, représenter, répertorier, résumer

:: sélectionner, signaler, situer, synthétiser

:: valider, vérifier

>> 5ᵉ étape – Formuler le titre de l'exposé

L'analyse de votre auditoire vous a déjà permis de préciser votre thème général et de le relier aux intérêts ou à l'expérience de votre public cible; le sommaire des points que vous souhaitez aborder et la formulation du mandat et
des objectifs que vous associez à ces points vous ont permis de dégager clairement vos intentions et ce que vous entendez faire. Il vous reste à coiffer tout
cela d'un titre définitif propre à bien délimiter votre sujet et à exprimer votre
perspective sans ambiguïté.

Le titre d'un exposé doit, autant que
possible, posséder quatre qualités.
Il doit être :

:: simple et court, c'est-à-dire tenir en
une dizaine de mots ;

:: fidèle aux objectifs et au contenu
de l'exposé ;

:: précis, c'est-à-dire bien cibler le sujet
et exprimer sans équivoque
la position de l'orateur;

:: accrocheur et dynamique,
c'est-à-dire susciter l'intérêt
dès qu'on le lit ou qu'on l'entend.

**Choisissez un titre
court, accrocheur
et précis.**

Par exemple, les titres suivants sont (a)
trop longs, (b) manquent de précision,
ou (c) sont peu invitants :

a) Les transformations du travail, de
l'économie et des habitudes de vie
provoquées par la mondialisation.

b) Les politiques coloniales.
La robotique.

c) L'essor de la privatisation des soins
médicaux.

Selon le point de vue de leur auteur,
on les formulerait plutôt ainsi :

a) Les incidences socio-économiques
de la mondialisation.

b) Aspects économiques des politiques coloniales au XIXᵉ siècle.
La robotique : un choix vital pour
l'économie québécoise.

c) Un virus qui prolifère : la privatisation des soins médicaux.

6e étape – Déterminer le contenu définitif de l'exposé

La sixième étape de la préparation d'un exposé consiste à réunir l'information nécessaire. Deux cas sont ici possibles :
:: soit vous n'avez pas encore en main toute l'information requise;
:: soit vous l'avez déjà en main.

◆ Il manque de l'information. Si vous devez préparer un exposé sur un sujet que vous ne maîtrisez pas tout à fait ou, *a fortiori*, sur un sujet dont vous ignorez tout, il faut d'abord effectuer une recherche d'information aussi méthodiquement que possible. Vous irez ainsi puiser dans des sources documentaires sérieuses et crédibles (livres, périodiques, sites Web fiables, banques de données, etc.). Dans certains cas, et si vous avez accès à ce genre de service, vous pourrez consulter un bibliothécaire et lui demander de faire une recherche professionnelle. Pour compléter votre collecte d'information, vous devrez peut-être aussi consulter des spécialistes du sujet.

◆ L'information est complète. Vous n'aurez pas de recherche d'information à faire si vous avez déjà en main tout le matériel requis, soit parce que vous avez effectué le type de démarche que nous venons de décrire, soit parce que vous avez déjà présenté le sujet de l'exposé dans d'autres circonstances, avec un autre mandat ou d'autres objectifs, par exemple dans un rapport, un article ou une autre forme d'écrit. Ce dernier cas est assez fréquent à l'université, lorsque, par exemple, un professeur demande à ses étudiants de déposer un travail écrit et d'en faire une présentation orale. Les chercheurs se trouvent souvent dans une position semblable : ils présentent une communication dans le cadre d'un congrès, d'une conférence ou d'un colloque en s'appuyant sur un article qu'ils ont rédigé.

◆ Sélection définitive de l'information. Une fois que vous disposez de toute l'information dont vous avez besoin pour votre exposé, il vous reste à la «traiter», autrement dit à en sélectionner les éléments les plus pertinents sans avoir peur d'écarter ceux qui le sont moins, de façon à vous ajuster au public cible et au contexte de l'exposé, au mandat et aux objectifs que vous assumez. Afin de choisir les contenus pertinents, vous pouvez vous demander pour chaque information dont vous disposez :
:: est-elle absolument nécessaire ?
:: est-elle indispensable à la compréhension de l'auditoire ?
:: doit-on aller aussi loin dans les détails ?
:: cette information cadre-t-elle avec le mandat associé à l'exposé ?
:: cadre-t-elle avec les objectifs précis de l'exposé ?
:: est-elle fiable, crédible, communément ou scientifiquement corroborée ?
:: émane-t-elle d'une source suffisamment récente ?
:: etc.

Compte tenu de vos réponses, vous serez amené à écarter tel ou tel élément d'information. Mais peut-être également devrez-vous remanier vos objectifs et réviser le titre de votre exposé, justement parce que votre collecte d'information vous aura révélé quelque chose d'inattendu.

> Sélectionnez les éléments d'information les plus pertinents sans avoir peur d'écarter ceux qui le sont moins.

25

>> 7e étape – Bâtir le plan de l'exposé

Il vous reste maintenant à bâtir le plan de l'exposé, à prévoir les transitions, à concevoir la conclusion et l'introduction, à déterminer la durée de chacune des parties et, enfin, à choisir et à préparer les supports visuels dont vous aurez besoin.

Le plan de votre exposé constitue l'outil qui vous permettra d'en agencer les différents éléments et le guide qui vous empêchera de vous perdre lorsque vous serez dans le feu de l'action.

Par ailleurs, un exposé oral obéit aux mêmes impératifs qu'un rapport écrit : il comprend une introduction, un développement et une conclusion. Pour reprendre une formule célèbre, et pas aussi simpliste qu'il y paraît :
:: dans l'introduction : vous dites ce que vous allez dire,
:: au cours du développement : vous dites ce que vous avez à dire,
:: dans la conclusion : vous redites ce que vous avez dit.

Si, dans leur forme finale, les parties d'un exposé s'enchaînent toujours de la même façon, leur préparation suit un ordre différent. On s'occupe d'abord du développement. Cela fait, on prépare la conclusion et l'introduction. Procéder autrement irait contre la logique. Il serait en effet difficile de concevoir une introduction et une conclusion pour un sujet qu'on n'a pas encore arrêté définitivement.

> Préparer le développement

À la différence d'un texte écrit, et pour un même sujet, l'exposé traite souvent un nombre plus limité d'idées. C'est que l'auditoire doit suivre le fil du discours, sans avoir la possibilité de revenir en arrière. Le message doit être compris immédiatement et dans son ensemble. Si votre plan contient trop de matière, vous risquez d'entraîner la confusion.

Voici comment nous vous proposons de concevoir le plan de votre exposé de façon à aboutir à un résultat semblable au contenu du tableau 4.

◆ **Dégager des points principaux.** À partir de vos objectifs de communication généraux (voir la 4e étape) et de votre sélection d'information (voir la 6e étape), établissez les grandes divisions de votre exposé : ces points principaux seront le plus souvent articulés sur vos objectifs de communication. Toutefois, il est possible qu'à un même objectif correspondent plusieurs points principaux.

◆ **Dégager les points secondaires.** Décomposez les points principaux en points secondaires ; encore là, il est vraisemblable que ces points seront articulés sur vos objectifs de communication spécifiques. Trois ou quatre points secondaires par point principal suffisent amplement dans la plupart des cas. Si l'importance et la durée de votre exposé le justifient, il est toujours possible d'en ajouter. Les indications que nous donnons ici valent pour des exposés de 15 à 40 minutes.

> Plusieurs itérations seront nécessaires pour parvenir à une organisation satisfaisante du plan et du temps assigné aux différents points.

◆ **Répartir le temps et procéder à des ajustements.** Attribuez à chaque point secondaire une durée approximative. Faites ensuite le total des minutes. Vous allez peut-être découvrir que cette première estimation dépasse le temps qu'on vous a alloué pour l'exposé. Vous devrez faire des choix : réduire le nombre de points secondaires ou en regrouper, rééquilibrer les durées, etc.

Plusieurs itérations seront probablement nécessaires pour en arriver à une organisation satisfaisante du contenu de l'exposé et du temps assigné aux différents points. Veillez aussi à équilibrer le plan : si possible, prévoyez un nombre à peu près égal de points secondaires par point principal ; vous pourrez ainsi mieux diviser votre temps en tranches de durée sensiblement identique.

◆ **Planifier les supports visuels.** Enfin, faites l'inventaire des supports visuels dont vous aurez besoin pour étayer votre exposé. Déterminez-en la nature, le contenu et le nombre. Encore une fois, ne soyez pas trop ambitieux. Ne péchez pas par démesure. Chaque support visuel doit être pertinent. Cette première planification des médias servira de point de départ quand vous passerez à la prochaine étape de préparation de l'exposé (voir la 8e étape).

> **Préparer la conclusion et l'introduction**

Une fois les points principaux et secondaires formulés et ordonnés, avec les transitions qui les relieront, la forme de la conclusion s'imposera d'elle-même; vous n'aurez qu'à revenir brièvement sur les points importants de l'exposé. Si possible, vous mettrez également en relief les aspects essentiels de votre propos dans un message final frappant que l'auditoire retiendra aisément et associera à votre exposé.

Il faudra encore préparer l'introduction de l'exposé, qui joue un triple rôle. D'abord, elle sert à attirer l'attention sur le sujet. Par exemple, en citant un fait éloquent, ou des statistiques percutantes, etc., vous entrerez dans le monde des expériences de votre auditoire et déclencherez une écoute attentive. La suite de l'introduction vous amènera à préciser votre sujet, puis à annoncer vos objectifs, votre plan et la manière dont se déroulera votre exposé. Ainsi, votre public saura de quoi vous allez parler et comment vous allez vous y prendre; il pourra donc mieux vous suivre.

Rappelons que votre introduction et votre conclusion ne devraient pas durer, respectivement, plus de 10 % du temps total alloué pour l'exposé.

Le tableau 4 montre à quoi aboutissent les opérations que nous venons de décrire pour un exposé de 40 minutes. Nous avons déjà examiné des esquisses de cet exposé, qui porte sur le traitement de la scoliose (voir les 3e et 4e étapes). Le mandat de l'orateur consistait à présenter les grandes lignes d'une recherche de maîtrise en génie biomédical, intitulée *Simulation de l'interaction entre le corset et le tronc dans le traitement de la scoliose* (voir sur le **cédérom** les séquences de l'exposé de Chantal Bisson).

La première colonne du tableau présente les grandes parties de l'exposé (introduction, développement et conclusion). On note que le développement

Tableau 4 – Plan d'un exposé de 40 minutes intitulé «Simulation de l'interaction entre le corset et le tronc dans le traitement de la scoliose»

POINTS PRINCIPAUX (*objectif* + contenu)	POINTS SECONDAIRES (*objectif* + contenu)	DURÉES approximatives	SUPPORTS VISUELS (Objets + diapos PowerPoint)
INTRODUCTION (3 min)	:: Définir en quoi consiste la scoliose (déclencheur) :: Expliquer les limites des deux formes de traitement existantes : corset, chirurgie :: Citer et justifier l'objectif général de la recherche :: Donner le plan de l'exposé	3 min	Corset et maquette de la colonne vertébrale sur la table > no 1 Titre > no 2 Définition de la scoliose (montrer colonne vertébrale) > no 3 Traitement par corset (montrer le corset) > no 4 Traitement chirurgical > no 5 Objectif de la recherche et plan (combiné)
DÉVELOPPEMENT (35 min) 1. Énumérer et expliquer les étapes de la méthodologie de modélisation du corset	1.1 Expliquer la 1re étape : choix d'un modèle approprié de tronc	4 min	> no 6 Organigramme des étapes
	1.2 Expliquer la 2e étape : modélisation de la surface interne du corset	4 min	> no 7 Radiographies de la patiente > no 8 Tableau du modèle géométrique
(transition)	1.3 Expliquer la 3e étape : modélisation des différentes couches du corset et des tissus mous		> no 9 Capteurs de pression > no 10 Modélisation des couches
2. Expliquer la simulation de l'action du corset sur le patient	2.1 Décrire comment s'est faite l'informatisation du nombre de points de contacts	4 min	> no 11 Modélisation de l'interface
	2.2 Expliquer la détermination des conditions limites	3 min	> no 12 Éléments de contact > no 13 Conditions limites
	2.3 Décrire comment la géométrie initiale du corset a été définie	4 min	> no 14 Géométrie initiale du corset
	2.4 Expliquer comment s'est faite l'ouverture virtuelle du corset	4 min	> no 15 Ouverture virtuelle du corset (montrer animation)
(transition)	2.5 Démontrer comment on a imposé un déplacement graduel aux nœuds des points d'attache des courroies	2 min	> no 16 Nœuds/courroies (animation en rotation)
3. Valider la méthodologie et évaluer les résultats en fonction des objectifs de départ	3.1 Comparer les résultats avec les indices de reconstruction 3D de la patiente (avec et sans son corset)	3 min	> no 17 Déformation de la colonne vertébrale (animation)
	3.2 Faire l'analyse des résultats obtenus	2 min	> no 18 Première comparaison (avec et sans corset)
	3.3 Comparer ces derniers résultats avec ceux d'une matrice de pression	3 min	> no 19 Sommaire des résultats
	3.4 Faire l'analyse de ces résultats	2 min	

POINTS PRINCIPAUX (*objectif* + contenu)	POINTS SECONDAIRES (*objectif* + contenu)	DURÉES approximatives	SUPPORTS VISUELS (Objets + Diapos PowerPoint)
CONCLUSION (2 min)	:: Rappeler la nouveauté de l'approche :: Citer les recherches en cours qui découlent du travail effectué	2 min	

comporte trois points principaux. La deuxième colonne donne les points secondaires rattachés à chacun des points principaux. Des transitions sont planifiées entre chaque section du développement. En passant, la façon la plus simple de procéder pour les transitions consiste à souligner verbalement que l'on aborde un nouvel élément, avec des formules comme «Nous allons maintenant...», «Je passe maintenant à ...». Si le sujet est complexe et les éléments à exposer nombreux, on a recours à une forme plus élaborée de transition : la récapitulation. On reprend, en une phrase ou deux, les faits et arguments pivots relatifs au point que l'on vient de traiter, puis on fait le lien avec le point suivant.

Dans la troisième colonne du tableau, on a indiqué le temps approximatif prévu pour chaque point de l'exposé. Enfin, la quatrième colonne donne la liste des supports visuels (diapositives et objets réels) en les associant aux points de la présentation qu'ils doivent étayer.

> **Une version du plan pour l'auditoire**

La version du plan d'exposé illustrée dans le tableau 4 est un outil de travail à l'usage exclusif de l'orateur : les grandes articulations sont données sous forme de points principaux et secondaires (incluant l'objectif associé à chaque point), de façon à ce que celui qui parle sache dans quelle direction aller; les durées sont planifiées pour que l'orateur avance à un rythme adéquat; l'enchaînement des supports visuels est programmé de manière à ce qu'il s'en serve au bon moment. Il serait inutile, et même maladroit, de donner cette version du plan aux auditeurs. On leur livrera plutôt une version allégée, comme celle qu'illustre la figure 3.

SIMULATION DE L'INTERACTION ENTRE LE CORSET ET LE TRONC
DANS LE TRAITEMENT DE LA SCOLIOSE   Chantal Bisson

Méthodologie de modélisation
     Choix d'un modèle
     Modélisation de la surface interne du corset
     Modélisation des différentes couches du corset et des tissus mous

Simulation de l'action du corset sur le patient
     Informatisation des points de contacts
     Conditions limites
     Géométrie initiale du corset
     Ouverture virtuelle du corset
     Déplacement aux nœuds des points d'attache

Validation des résultats
     Comparaison avec les indices de reconstruction 3D
     Comparaison avec les résultats d'une matrice de pression

Figure 3 - Plan présenté à l'auditoire d'un exposé sur le traitement de la scoliose.

>> 8ᵉ étape - Préparer les supports visuels de l'exposé

Pour rendre certains éléments de votre exposé plus faciles à saisir ou pour en souligner un détail, vous aurez besoin de supports visuels. Vous aurez recours, par exemple, aux diapositives électroniques de type PowerPoint, au tableau noir, à des photocopies, ou même à des objets réels. Vous utiliserez plus rarement les documents audiovisuels complets comme les vidéos, qui supposent des manipulations plus complexes et plus longues, et qui conviennent donc moins bien à des exposés de courte durée.

Ni la qualité ni la quantité des supports utilisés au cours d'un exposé ne garantissent que l'information dispensée sera emmagasinée. C'est par le choix judicieux des ressources visuelles et par leur intégration aux autres composantes de l'exposé que l'orateur parviendra à bâtir, sur une structure limpide, un tout cohérent, clair et instructif. En outre, il lui faudra se servir des supports visuels en professionnel de la communication verbale, et non en amateur, et témoigner ainsi son respect à l'auditoire.

> Pourquoi des supports visuels ?

Signalons d'emblée que, dans certaines disciplines ou domaines, les représentations visuelles sont tout simplement indispensables : c'est le cas en sciences, où l'on s'exprime fréquemment au moyen de figures, d'équations, de formules, de graphiques, etc. En dehors de ces particularités disciplinaires, et, comme on le suggérait plus haut, les supports visuels doivent avant tout aider à la compréhension et augmenter la clarté des explications. Par exemple, on peut expliciter l'aspect clé d'une démonstration au moyen d'une illustration ; on peut aussi aider l'auditoire à s'y retrouver dans une structure complexe en la représentant graphiquement.

Les supports visuels contribuent également à renforcer le message et à fixer les idées. Par exemple, on se servira d'une illustration pour présenter d'une autre manière ce qu'on explique verbalement ; on utilisera une diapositive affichant les mots clés ou les concepts fondamentaux de la présentation, ceci pour que l'auditoire les «photographie» et, par conséquent, les retienne mieux.

D'autres avantages méritent d'être soulignés. Pour l'orateur, le fait de construire d'avance une série de supports visuels est une occasion supplémentaire de peaufiner sa stratégie et son plan d'exposé ; lors de la prestation de l'exposé, les supports visuels peuvent également lui servir de repères pour garder le fil de ses idées. Dans le cas où l'on a choisi comme support des diapositives électroniques, la copie imprimée de celles-ci peut servir à l'auditoire pour la prise de notes.

Une mise en garde en terminant : on ne doit pas recourir aux supports visuels seulement pour agrémenter l'exposé et parce que c'est une pratique répandue.

Pour quels contenus recourir aux supports visuels ?

Certains contenus sont impossibles ou difficiles à rendre sans support visuel. Par exemple, un ensemble de données dont on doit faire voir les relations ou l'évolution devra être organisé sous forme de tableau, d'histogramme ou de diagramme à colonnes. Des comparaisons statistiques seront plus faciles à saisir si on les représente sous forme de diagramme circulaire (*pie chart*). Un phénomène dynamique risque d'être mieux compris si on le reproduit au moyen d'une animation.

Les supports visuels peuvent également servir à mettre en évidence divers repères relatifs à l'organisation et au déroulement de l'exposé : titre, plan, rappels du plan, étapes clés de l'exposé (introduction et conclusion, etc.).

On ne doit surtout pas reprendre sur supports visuels le contenu intégral du discours, ni même montrer des transcriptions littérales de segments d'exposé.

Comment sélectionner le type de support visuel approprié ?

On traite ici de trois types de support largement utilisés de nos jours en communication orale : les diapositives électroniques de type PowerPoint, le tableau et les photocopies.[1] Pour sélectionner le type de support visuel approprié à vos besoins, évaluez leurs caractéristiques respectives.

◆ Diapositives électroniques

Les diapositives que l'on réalise au moyen d'un logiciel de présentation électronique comme PowerPoint per-

mettent de combiner texte, couleurs, images, sons, animations et vidéo, donc de traiter un sujet sous plusieurs aspects différents et de sortir d'une représentation purement linéaire ou abstraite. Les outils de présentation multimédia atteignent leur maximum d'efficacité quand on s'en sert pour du matériel graphique (schémas, figures, tableaux), des images, des animations, etc. Quand ils servent seulement à afficher du texte organisé en listes à puces, ils présentent moins d'intérêt. Si l'on veut tout de même les utiliser pour afficher du texte, on devrait, quand c'est possible et pertinent, l'articuler sur une représentation graphique (arborescence, carte conceptuelle, etc.), qui permettra à l'auditoire de visualiser les relations logiques qui existent entre les idées. Le message s'en trouvera enrichi.

La popularité de PowerPoint (et d'autres logiciels similaires) atteint aujourd'hui un tel niveau qu'on est enclin à y recourir automatiquement sans s'interroger sur sa pertinence réelle pour chaque exposé qu'on doit faire. De plus, comme l'outil est assez facile à utiliser, beaucoup d'orateurs ont tendance à élaborer une grande quantité de matériel, même quand le temps alloué pour l'exposé est restreint. Par conséquent, on inflige trop souvent à l'auditoire un feu roulant de diapositives qui défilent sans que l'orateur ait le temps de les commenter et sans que les «spectateurs» aient le temps d'en saisir le contenu. Pour éviter de tomber dans ce piège, pénible pour tout le monde, vous pouvez vous guider sur les critères de conception proposés un peu plus loin.

> **On ne doit surtout pas reprendre sur supports visuels le contenu intégral du discours.**

---

1. Comme l'utilisation de transparents (pour rétroprojecteurs) se perpétue dans certains milieux ou certaines circonstances, nous incluons dans l'annexe C quelques conseils à propos de ce type de support, peu à peu déclassé par les logiciels de présentation électronique.

◆ Tableau

L'utilisation du tableau et de la craie, du tableau blanc (sur lequel on écrit avec des stylos-feutres spéciaux) et du tableau à feuilles mobiles est surtout appropriée avec des auditoires peu nombreux, dans des salles où la visibilité est très bonne. Son principal avantage est de permettre une souplesse qu'on n'a pas avec les diapositives électroniques, qui sont forcément préparées à l'avance et qui figent d'une certaine manière le contenu de l'exposé. Ainsi, quand l'orateur doit dévier quelque peu du contenu qu'il avait planifié, par exemple à la suite de réactions ou de questions inattendues de l'auditoire, il peut recourir au tableau pour illustrer ou développer de façon improvisée un nouveau point particulier.

L'orateur qui veut utiliser le tableau doit être conscient qu'il sera ralenti dans son propos du seul fait qu'il devra prendre le temps d'y inscrire l'information à transmettre, à moins qu'il puisse le faire avant de commencer l'exposé. Enfin, une personne ayant du mal à écrire lisiblement en gros caractères devrait peut-être s'abstenir de se servir du tableau dans le cadre d'un exposé.

◆ Photocopies

L'utilisation de documents photocopiés s'impose pour transmettre toute information détaillée qu'il ne serait pas possible ou opportun de scinder ou de synthétiser au-delà d'un certain seuil, sans risquer de nuire à la compréhension de l'auditoire. On devrait donc distribuer en photocopies les extraits de texte substantiels qu'on a l'intention de commenter, un tableau dense qu'il est indispensable de présenter au complet, sans tronquer les données qu'il contient, etc.

> Conception des supports

Quatre critères de portée générale peuvent vous guider dans la conception de vos supports visuels, quel que soit le type de support envisagé.

◆ Un nombre raisonnable de supports

Il n'y a pas de liens prouvés entre la quantité de supports visuels utilisés au cours d'un exposé et le niveau de compréhension auquel l'auditoire de cet exposé peut parvenir.

◆ Y a-t-il un nombre maximal à respecter ? Il est très hasardeux de se fier aveuglément à une règle quelconque quant au nombre maximal d'éléments visuels à utiliser au cours d'un exposé. À notre avis, il faut s'en tenir, autant que possible, à un élément visuel par période de deux ou trois minutes. Cela dit, on devrait plutôt déterminer la quantité optimale de supports visuels en fonction d'autres paramètres, que voici.

:: Chaque élément visuel doit constituer un apport d'information significatif pour l'auditoire, sinon on peut considérer qu'il est en surnombre.

:: Il est inutile d'inclure un élément visuel dans la présentation si l'on doute que l'auditoire aura suffisamment de temps pour saisir l'information qu'il contient.

:: Il est inutile d'inclure un élément visuel dans la présentation si l'on doute que l'orateur aura suffisamment de temps pour le commenter.

En fonction de ces paramètres, on arrivera assez bien à fixer le nombre maximal de supports visuels à utiliser dans le cadre d'un exposé donné.

◆ **Y a-t-il un nombre minimal à respecter ?** Dans certaines disciplines, on recourt peu ou pas du tout aux supports visuels pour la présentation d'exposé… Par ailleurs, certains types d'exposé, certains sujets ou certains contextes de communication ne requièrent pas non plus de supports visuels : ce pourrait être le cas pour un bref exposé présenté à un petit groupe de personnes très à l'aise avec le sujet abordé, ou pour une conférence de type magistral donnée en amphithéâtre par un expert en sciences humaines, etc. Et il est parfaitement possible pour un orateur habile de tenir un discours de 30 minutes en s'appuyant sur une seule diapositive (un modèle, une structure, une organisation relationnelle) ! Encore une fois, c'est l'analyse des conditions et des conventions de communication dans votre domaine qui vous dictera la conduite à tenir.

◆ **Un choix de médias simple**
Lors d'un exposé, les variables à contrôler sont déjà nombreuses. Si, en plus, vous devez dérouler l'écran pour projeter des diapositives électroniques, remonter l'écran pour travailler au tableau qui est derrière, et, en plus, commenter des documents photocopiés, vous risquez de passer plus de temps à préparer et à disposer votre matériel qu'à livrer votre exposé. Bornez-vous donc à un ou deux types de supports. Vous y gagnerez en efficacité.

◆ **Des supports pertinents**
On rejoint ici les considérations relatives à la quantité optimale d'éléments visuels à intégrer dans l'exposé. Il convient de vous demander pour chacun :

:: Sont-ils tous nécessaires, ou même indispensables à la compréhension de l'auditoire ?

:: Sont-ils tous pertinents par rapport à vos objectifs de communication et au plan de votre exposé ?

:: Constituent-ils le meilleur outil pour transmettre l'information considérée ?

:: Est-il possible de les synthétiser, de les fusionner ou de les réorganiser pour les rendre plus efficients ?

◆ **Des supports offrant une bonne lisibilité**
Assurez-vous que les personnes assises au fond de la salle pourront voir clairement ce que vous afficherez. Faites en sorte que vos supports aient la meilleure organisation visuelle possible. Ne chargez pas trop vos diapositives. Faites attention à votre choix de couleurs. Bref, il ne sert à rien de montrer une illustration illisible…

Pour des détails relatifs à la conception (mise en écran, mise en pages, etc.) de chaque type de support visuel abordé ici, reportez-vous à l'annexe C. Pour des conseils sur l'utilisation des supports visuels pendant la présentation de l'exposé, voyez la section «Utiliser adéquatement les supports visuels», dans la deuxième partie du guide.

>> 9ᵉ étape – Préparer des notes aide-mémoire

Les notes aide-mémoire aident l'orateur à se rappeler ce qu'il veut dire quand il se trouve devant son auditoire. Elles lui procurent un certain sentiment de sécurité : même s'il les consulte peu, elles sont là, au cas où... Elles permettent donc de s'adresser à un auditoire avec davantage d'assurance.

Les notes aide-mémoire sont un outil strictement personnel. C'est pourquoi nous ne chercherons pas ici à imposer de modèle standard. Nous nous en tiendrons à des conseils généraux sur le contenu de ces notes et sur leur organisation.

> **Les indications que vous cherche-rez dans vos notes, pendant que vous donne-rez l'exposé, doivent pouvoir être saisies d'un simple coup d'œil.**

D'abord, habituez-vous à n'utiliser qu'un petit nombre de feuillets ou de fiches (5 ou 6, par exemple) et numé-rotez-les. Préférez aux feuilles de papier des fiches de carton rigide que vous aurez mieux en main. Si vous êtes nerveux, vous serez moins enclin à les tortiller, à les plier, etc.

N'essayez surtout pas de transcrire intégralement votre exposé. Reportez-y plutôt votre plan (points principaux et secondaires), en tenant compte des indications que nous vous donnons ci-dessous.

Intégrez dans vos notes les mots clés que vous avez prévus pour amener les parties essentielles de votre discours. Indiquez aussi, dans une courte phrase, votre message d'introduction ou de conclusion, ainsi que chacune de vos idées principales. De cette façon, vous aurez la certitude de n'oublier aucun des éléments importants de votre exposé.

Notez également votre objectif princi-pal. Indiquez les endroits où une tran-sition ou un résumé s'imposent. Précisez à quel moment vous aurez recours aux divers supports visuels. Certains orateurs débutants incluent même dans leurs notes aide-mémoire des indications «de régie» comme celles-ci : «regarder les gens», «ralen-tir», «faire une pause», «montrer sur l'écran», «renvoyer à la photocopie distribuée», etc.

Donnez à vos notes aide-mémoire une bonne organisation graphique : en effet, les indications que vous y cher-cherez éventuellement, pendant que vous donnerez l'exposé, doivent pou-voir être saisies d'un simple coup d'œil. Utilisez des titres, des gros caractères, une numérotation et de la couleur pour faciliter le repérage. Soyez cepen-dant cohérent et simple. Ne faites pas de vos notes un arbre de Noël bariolé où se mêlent chiffres romains et arabes, lettres majuscules, lettres minuscules, etc. ☐

Donner l'exposé

Pour rendre son message de façon claire et dynamique, un bon orateur doit maîtriser les habiletés de communication ci-dessous ; il doit savoir :

> :: Maîtriser sa nervosité ;
> :: Introduire son sujet ;
> :: Structurer son propos ;
> :: Utiliser adéquatement les supports visuels ;
> :: Varier les stimuli ;
> :: Conclure;
> :: Répondre aux questions.

Maîtriser sa nervosité

Toute personne, et c'est normal, éprouve un certain trac au moment de «se donner en spectacle».

Un sondage effectué aux États-Unis a déjà révélé que, pour la majorité des 3 000 répondants, la pire crainte — supérieure même à la peur des difficultés financières, de la maladie et de la solitude — était celle de parler en public.

Cela tient probablement au fait que nous craignons tous le jugement d'autrui : nous avons peur d'être catalogués, ridiculisés ; nous supportons mal de voir attaquer nos idées ; nous appréhendons le trou de mémoire; nous redoutons de bafouiller, etc.

Pour vaincre la peur et la nervosité, il faut commencer par les accepter, puis agir de façon à les dominer. Vous y arriverez probablement en suivant quelques règles simples.

> **Toute personne, et c'est normal, éprouve un certain trac au moment de «se donner en spectacle».**

◆ **Se préparer consciencieusement.** D'abord, préparez-vous consciencieusement, par exemple en franchissant une à une les étapes que nous avons décrites précédemment. Si, de plus, vous vous exercez avant de donner votre exposé, affronter l'auditoire véritable ne devrait pas apporter de surprises désagréables. Psychologiquement et matériellement, vous serez prêt.

◆ **Se concentrer.** Juste avant l'exposé, concentrez-vous. Ne laissez pas la nervosité vous ôter vos moyens. Axez vos pensées sur la tâche et sur l'auditoire qui vous attendent. Si possible, essayez d'entrer en contact avec des personnes de l'auditoire. Vous constaterez l'effet calmant d'un bref échange de propos avec elles avant l'exposé. Et, plus tard, lorsque vous croiserez leur regard, vous sentirez votre confiance s'accroître. Habituez-vous à regarder les gens à qui vous parlez dès le début de votre exposé. Tâchez d'avoir de chacun une image nette. Concentrez-vous sur eux et sur la tâche que vous allez entreprendre ensemble.

◆ **Se décontracter.** Lorsque vous êtes nerveux, votre corps réagit. Des signes physiologiques (tension musculaire, transpiration, accélération du rythme cardiaque, etc.) se manifestent. En réalité, ils traduisent un surplus d'énergie qui ne demande qu'à être dépensé. Si vous pouviez «piquer un 100 mètres» ou pousser un grand cri, ces signes gênants disparaîtraient probablement. C'est pourquoi, et c'est la troisième règle à suivre, vous devrez trouver un ou deux moyens de vous décontracter. Par exemple, avant l'exposé, marchez, respirez profondément ; plutôt que de prendre l'ascen-seur, montez l'escalier, etc. Pendant l'exposé, bougez, ne restez pas crispé. Si vous êtes décontracté, votre auditoire le sera aussi. Et, s'il vous arrive de commettre une petite erreur au cours de l'exposé, vous serez capable de reprendre le fil tout naturellement, et même d'en rire avec votre auditoire.

Soyez vous-même pendant l'exposé. N'essayez pas de projeter une image de vous différente de ce que vous êtes réellement. Naturel et simplicité vous permettront d'atténuer les symptômes physiologiques de votre nervosité et de prendre plaisir à communiquer.

>> Introduire son sujet

L'introduction est capitale dans un exposé, car elle constitue votre premier contact avec l'auditoire et la première occasion de l'intéresser à votre propos. Nous allons parler ici des éléments constitutifs de l'introduction : le déclencheur et l'annonce des objectifs et du déroulement. Mais nous allons surtout donner des conseils pratiques sur les gestes à faire et à ne pas faire.

> L'introduction est capitale, car elle constitue votre premier contact avec l'auditoire et la première occasion de l'intéresser à votre propos.

Vous êtes assis. L'animateur vous présente et tous les regards se tournent vers vous. Ne vous laissez pas troubler : soyez naturel, levez-vous et avancez-vous doucement. Ne vous précipitez pas vers le lutrin, la table ou l'ordinateur ; vous risqueriez d'oublier quelque chose ou de faire toutes sortes de gestes désordonnés.

◆ **S'installer.** Avant de parler, installez-vous. Il n'est certes pas recommandé de vous adresser à l'auditoire tout en vous penchant pour fouiller dans votre sac, en lui tournant le dos pendant que vous cherchez un fichier sur l'ordinateur ou que vous testez la qualité de votre projection.

Vous voici prêt. Mais le moment n'est pas encore venu de vous mettre à parler. Commencez par regarder votre public. Assurez-vous que les gens sont prêts, eux aussi, à vous écouter. Rien ne sert de parler s'ils discutent encore. Regardez-les attentivement et, une fois l'exposé commencé, maintenez ce contact visuel. Un simple bonjour à la cantonade, un merci à l'animateur vous permettront d'entrer en contact avec la salle. Si cela n'a pas été fait par l'animateur, présentez-vous et citez le titre de votre exposé.

◆ **Capter l'attention.** C'est maintenant le moment d'éveiller l'attention de l'auditoire sur votre sujet avec un élément déclencheur. Nombre d'orateurs débutants veulent accrocher leur public en lançant une bonne blague.

Mais attention, si le comique n'est pas votre fort, on rira peut-être davantage de vous que de votre blague. Ne racontez jamais d'histoire sexiste ou raciste; cela risque de vous aliéner immédiatement une partie de l'auditoire. Rappelez-vous cette phrase d'un humoriste américain : «Being funny is a very serious business !».

Il existe d'autres procédés déclencheurs au moins aussi efficaces, sinon plus, que la blague. Par exemple, reliez votre sujet au vécu ou à une expérience commune à tous les membres de l'auditoire : «Vous payez tous une facture de chauffage, n'est-ce pas ? Savez-vous combien d'argent la biénergie pourrait vous faire économiser chaque année?» Vous pouvez également souligner l'importance que revêt votre sujet pour l'auditoire ou amener votre sujet en éveillant la curiosité naturelle des gens : «Il y a eu 1 200 accidents de moto au Québec cette année. Savez-vous combien ont été fatals à cause des défauts du casque des victimes ?»

D'autres entrées en matière conviennent tout aussi bien : citer une phrase connue; poser une question qui dérange («Que feriez-vous si vous deveniez aveugle ?»); raconter une anec-

dote propre à dramatiser votre sujet ou à y introduire un certain suspense.

Toutefois, il ne faut pas souscrire avec trop d'enthousiasme au principe du déclencheur; cela dépend du sujet que vous traitez et du cadre de votre intervention. Un séminaire de doctorat consacré à l'épistémologie de la littérature n'est peut-être pas l'endroit le plus propice aux entrées sensationnelles...

◆ Annoncer le titre, les objectifs, le plan et le déroulement. Une fois que vous avez capté l'attention du public, rappelez le titre de votre exposé, livrez-en les objectifs, et annoncez le plan, si possible en l'affichant. Donnez aussi quelques indications sur la durée et le déroulement de la présentation. Expliquez aux gens ce que vous attendez d'eux pendant et après l'exposé; indiquez-leur s'ils doivent prendre des notes ou si vous leur distribuerez un résumé de votre exposé, une copie imprimée de vos diapositives, etc.; précisez-leur s'ils peuvent vous interrompre, etc. Autrement dit, donnez-leur les règles à observer pendant votre exposé.

Signalons enfin que l'introduction d'un exposé ne devrait pas excéder 10 % de la durée totale de l'intervention.

Structurer son propos

L'effort de structuration que vous avez fourni avec une introduction soignée doit évidemment persister au cours de l'exposé. Le principe est toujours le même : guider l'auditoire le mieux possible. Il faut ici mettre en œuvre des techniques qui, d'une part, aideront l'auditoire à comprendre le contenu proprement dit de l'exposé et qui, d'autre part, l'aideront à se repérer dans l'enchaînement des points et le déroulement de la présentation.

◆ Structurer la compréhension du contenu avec des définitions, des exemples, etc. Pour structurer la compréhension du contenu de l'exposé, vous devez fournir à l'auditoire des explications claires et systématiques, en ayant recours à des exemples, en citant des applications concrètes de ce que vous avancez, en vous attardant aux points les plus difficiles ou les plus importants.

Vous devez aussi donner des définitions, si nécessaire. Les orateurs pèchent souvent par abus de termes scientifiques ou de jargon de métier. Il est fortement conseillé de définir tout terme ou notion inusitée, ou employée de façon inusitée. Vous devez juger vous-même de ce qu'il faut définir et du moment le plus opportun pour le faire. Tous ces efforts pour clarifier votre message permettront sans doute à votre auditoire de mieux assimiler l'essentiel de votre exposé.

◆ Aider l'auditoire à se repérer dans la présentation avec des transitions, des renvois au plan, etc. Profitez du passage d'un point principal de l'exposé à un autre pour situer de nouveau l'auditoire dans le développement de votre raisonnement ou de votre démonstration. Vous pouvez en profiter pour faire le point, sous forme de récapitulations rapides, et pour annoncer ce qui suit. Si votre plan est écrit au tableau, indiquez toujours le nouveau point que vous allez aborder. Si vous l'avez reporté sur une diapositive, affichez-la une fois ou deux, à des moments clés de la présentation, et indiquez où vous en êtes avec un pointeur ou encore en utilisant un procédé d'animation électronique discret. Si les membres de l'auditoire ont reçu des photocopies, signalez-leur le numéro correspondant au point ou à la page que vous allez développer.

> Utilisez des techniques de présentation qui aideront l'auditoire à comprendre le contenu proprement dit de l'exposé et qui l'aideront à se repérer dans l'enchaînement des points.

>> Utiliser efficacement les supports visuels

Vous aurez beau avoir préparé des supports visuels de grande qualité (voir la 8e étape dans la première partie du guide), vos efforts seront gaspillés si vous ne les utilisez pas adéquatement au cours de la présentation de l'exposé. Voici quelques indications générales sur la bonne façon de s'y prendre.

> Diapositives électroniques

Avant l'exposé, assurez-vous que vous maîtrisez le fonctionnement de l'équipement que vous aurez à utiliser : ordinateur, logiciel de présentation, projecteur, commande ou souris à distance, pointeur, etc.

Ne vous placez pas devant l'écran, dans le champ de la projection, pour commenter une diapositive.

Pendant la projection, évitez de tourner le dos à l'auditoire ou de parler penché sur votre ordinateur pour regarder où vous en êtes.

Ne lisez pas mécaniquement vos diapositives.

N'abusez pas des procédés d'affichage progressif, ligne après ligne, qui émiettent l'information présentée sur les diapositives et qui vous forcent à cliquer toutes les cinq secondes pour afficher de nouveaux éléments. En général, ce genre d'affichage au compte-gouttes énerve le public. Faites plutôt des affichages par blocs significatifs et logiques.

Évitez aussi les affichages et enchaînements tournoyants, car ils agacent la plupart des gens.

Si vous interrompez la projection pour passer à autre chose, faites au besoin le noir sur l'écran : ainsi, votre public ne sera pas ébloui par un écran vide ou distrait par une diapositive qui n'a plus de rapport avec ce que vous êtes en train de dire.

◆ **Pointeur.** Il est important de pointer sur les diapositives les éléments sur lesquels vous voulez attirer l'attention. À cette fin, l'utilisation d'un pointeur laser est intéressante, notamment parce qu'elle permet à l'orateur de s'éloigner de l'écran et, par exemple, de se déplacer en direction de l'auditoire (variation de stimulus). Cependant, si vous êtes un peu nerveux et que votre main tremble en tenant le pointeur, on verra aussi trembler le point lumineux sur l'écran. Vous redoutez que cela se produise ? Renoncez au pointeur, et servez-vous plutôt de procédés de mise en relief programmables à même votre logiciel de présentation : surimposition d'un cadre, changement de couleur d'une zone, zoom sur une partie de la diapositive, etc.

> Tableau

:: Lorsque vous vous servez du tableau (tableau et craie, tableau blanc, tableau à feuilles mobiles), écrivez en gros caractères bien nets.

:: Utilisez toute la surface, méthodiquement, de gauche à droite, mais sans descendre jusqu'au bas du tableau, car cette zone n'est pas toujours visible pour les personnes qui ne sont pas assises dans les premiers rangs.

:: Évitez de parler trop longtemps en restant tourné vers le tableau.

:: N'effacez pas ce que vous avez écrit (ou ne tournez pas la page du tableau à feuilles mobiles) sans avoir vérifié que l'auditoire a fini de lire ou de transcrire.

> Photocopies

:: Distribuez vos photocopies avant d'entamer votre exposé. Ainsi vous ne perdrez ni votre temps ni l'attention de l'auditoire, qui aura déjà en main le matériel dont il a besoin.

:: Annoncez clairement à l'auditoire, au début de votre intervention, que des photocopies sont à sa disposition.

Enfin, n'oubliez jamais qu'il ne suffit pas d'afficher une diapositive ou tout autre élément visuel pour que son contenu soit compris ; vous devez l'expliquer ou le commenter, car la connaissance ne s'acquiert pas par simple contemplation.

Vous trouverez dans l'annexe C d'autres conseils plus explicites quant à la bonne utilisation des supports visuels.

> **Il ne suffit pas d'afficher une diapositive ou tout autre élément visuel pour que son contenu soit compris ; vous devez l'expliquer ou le commenter.**

>> Varier les stimuli

Pour capter et soutenir l'attention d'un auditoire, il faut offrir un exposé riche en stimulations sensorielles auditives, visuelles et non verbales. Voici comment tirer parti de votre voix et de votre discours, de votre regard, de vos gestes et de vos déplacements.

> Voix et discours

Rien n'est plus ennuyeux, dans un exposé, qu'un murmure monocorde sur le mode de la psalmodie. À l'autre extrême, un exposé donné de bout en bout avec une voix tonitruante est à la fois ennuyeux et désagréable pour les tympans. C'est pourquoi il importe de varier à la fois le volume de la voix, les intonations et le débit du discours, ceci avec le plus de naturel possible, évidemment.

◆ **Parler suffisamment fort.** Surveillez d'abord le volume de votre voix. Même avec un microphone, il faut la projeter légèrement, surtout si le groupe est nombreux et la salle vaste, mais sans exagérer toutefois ; il n'est pas nécessaire d'aboyer comme un sergent lorsque vous vous adressez à dix personnes. Pour savoir si vous donnez le volume convenable, regardez les gens dans la salle; s'ils tendent l'oreille ou plissent les yeux, votre voix est probablement trop faible. Vous pouvez également, au début de votre exposé, leur demander simplement s'ils entendent bien ; ils vous le diront volontiers, puisqu'il y va de leur propre agrément.

◆ **Soigner la prononciation et l'articulation.** Sans adopter une diction pointue, ayez envers votre public la simple courtoisie de ne pas marmonner. Surveillez ce point quand vous vous exercerez.

◆ **Varier les intonations.** Faites attention aux intonations. Si vous êtes naturel, elles varieront... naturellement. Vos différentes inflexions vous feront passer, selon le cas, d'un ton affirmatif et convaincu à un ton dubitatif ou interrogatif. En modulant de la sorte votre voix, vous parviendrez à donner une allure dynamique à votre exposé. Vous ne pourrez pas moduler vos inflexions si vous devez systématiquement forcer le volume, ce qui peut être le cas si votre voix ne porte pas assez loin et que vous n'avez pas prévu l'utilisation d'un microphone ... Voilà donc un autre élément à prendre en considération lors de la préparation de votre exposé.

◆ **Ajuster le débit.** Ajustez bien votre débit, c'est-à-dire le nombre de mots que vous prononcez à la minute. Il variera selon les inflexions de votre discours, et c'est normal. Cependant, il vous faut éviter deux extrêmes : un débit trop lent, ennuyant, et un débit trop rapide, essoufflant et sans nuance. Certains orateurs trop ambitieux tentent, en accélérant le débit, de comprimer un vaste sujet dans un laps de temps réduit. C'est là une erreur qui leur fera toujours perdre l'attention de leur public. Il faut au contraire, à l'étape de la préparation, adapter la quantité de matière à couvrir à la durée prévue pour l'intervention. En règle générale, les orateurs veulent trop en dire; leur débit, correct pendant un

> **Variez, de façon naturelle, le volume de la voix, les intonations et le débit.**
>
> **Regardez une seule personne à la fois.**
>
> **Ne parlez pas assis ou dans une posture nonchalante.**
>
> **N'ayez pas l'air de répéter un texte appris.**

certain temps, prend de la vitesse en cours de route, et c'est au galop que se termine leur discours. Voici un repère utile : un débit de 100 à 120 mots à la minute est réputé efficace à la fois pour l'orateur et pour l'auditoire.

◆ **Qualité de la langue.** Il ne suffit pas de bien maîtriser le volume, le débit et les inflexions de votre voix pour parvenir automatiquement à une bonne qualité de discours. Encore faut-il vous exprimer dans une langue correcte et soignée. Il faut également adopter le style d'expression propre à l'oral, par opposition au style écrit. Vous y arriverez facilement si, dans la phase de préparation de l'exposé, vous avez mis au point votre discours en le «parlant» plutôt qu'en le mettant par écrit. Pour aider votre auditoire à retenir ce que vous dites, efforcez-vous d'utiliser des phrases simples. Les phrases complexes (à plusieurs propositions) devraient être découpées en segments ne dépassant pas une vingtaine de mots. Si vous devez utiliser des termes dont la prononciation vous fait hésiter ou bafouiller, exercez-vous, avant l'exposé, à les prononcer correctement.

> **Regard**
◆ **Regarder une personne à la fois.** Il est important de regarder constamment l'auditoire pour maintenir le contact et forcer son attention. Pour y parvenir, efforcez-vous de regarder une seule personne à la fois plutôt que d'essayer de couvrir dans votre champ de vision le plus de personnes possible. Voici deux techniques qui vous aideront à atteindre ce résultat : le balayage et les triangles imaginaires.

◆ **Technique du balayage.** Comme son nom l'indique, le balayage consiste à parcourir du regard les rangées de sièges et les individus qui y sont installés. Pour éviter cependant que l'opération ne devienne mécanique, arrêtez-vous régulièrement sur un visage pendant quelques instants (10 à 30 secondes) avant de reprendre le balayage, et procédez de façon aléatoire.

◆ **Technique du triangle.** Vous pouvez aussi dessiner avec votre regard des triangles imaginaires dans la salle : en suivant les côtés de ces triangles, vous vous arrêtez pendant quelques secondes sur un individu placé à un sommet du triangle, puis vous repartez vers un autre sommet, c'est-à-dire vers un autre visage. Ce faisant, vous nouerez chaque fois un bref contact personnel avec un membre différent de l'auditoire et, si vous vous sentez nerveux, le fait de regarder des personnes, et non une foule, vous donnera probablement de l'assurance.

> **Gestes et déplacements**
◆ **Rester décontracté.** Si vous êtes raide et tendu pendant l'exposé, votre raideur et votre tension se communiqueront à l'auditoire et, de part et d'autre, la gêne s'installera. En revanche, si vous êtes décontracté, le public, comme vous, se sentira à l'aise. Un orateur doit cependant savoir doser ses gestes et ses mouvements. Certaines personnes sont tellement figées qu'on croirait qu'elles vont prendre racine; d'autres, par contre, trop agitées, énervent leur public. Il faut donc trouver un juste milieu.

45

◆ **Parler debout.** D'abord, autant que possible, ne parlez pas assis ou dans une posture nonchalante. Tenez-vous droit, bien campé sur vos jambes, la tête haute, les épaules toujours perpendiculaires à la direction de votre regard. Imaginez que vous avez un projecteur suspendu au cou et que ce projecteur doive toujours éclairer la personne à qui vous parlez. Ces attitudes physiques toutes simples traduisent du dynamisme et de l'ouverture; elles vous aideront à conquérir votre auditoire et à le mettre en état de réceptivité et d'écoute active.

◆ **Se déplacer.** Prenez l'habitude de vous déplacer latéralement (et même dans la direction de vos auditeurs), si vous le pouvez. Vous verrez alors les regards vous suivre, et le contact, plus rapproché, deviendra plus chaleureux. Déplacez-vous pour montrer quelque chose sur l'écran, pour répondre à une question, pour écrire au tableau, etc. Associés aux inflexions de votre voix, aux changements de direction de votre regard, ces quelques gestes feront du temps consacré à votre exposé des moments actifs et intéressants.

> **Comportements à éviter**

Ne parlez pas le dos tourné pour commenter une diapositive ou, pis encore, pour la lire du début à la fin. Parlez les yeux fixés sur l'auditoire. Soyez naturel, n'ayez pas l'air de répéter un texte appris. Évitez les «euh..., bon ben.... OK...» pendant tout l'exposé. Faites des pauses. Plutôt que de tomber dans des tics de langage, gardez le silence. Évitez les gestes qui distraient l'auditoire et ont le don de l'agacer. Ne vous cramponnez pas au lutrin comme si vous alliez tomber. Ne «mangez» pas le microphone; ne jouez pas constamment avec un stylo; ne torturez pas vos notes aide-mémoire, vos vêtements ou le fil du microphone. Ne jouez pas sans cesse sur le clavier de votre ordinateur. Ne passez pas votre temps à remonter vos lunettes, etc. Enfin, ne marmonnez pas. Parlez fort, sans exagération toutefois, afin qu'on vous entende. Vous trouverez deux capsules vidéo montrant des comportements maladroits à éviter sur le **cédérom** qui accompagne ce guide (partie *S'exercer*, section *En savoir plus*).

>> **Conclure**

La conclusion d'un exposé doit remplir deux fonctions : vous permettre de récapituler les points principaux de l'exposé et de fixer un message clé dans l'esprit des auditeurs.

> **La conclusion d'un exposé doit récapituler les points principaux de l'exposé et fixer un message clé dans l'esprit des auditeurs.**

Des recherches ont montré que les gens retenaient mieux ce qui leur était présenté au début et à la fin d'une période donnée d'exposition à des stimuli. On devine aisément toute l'importance de ce phénomène en ce qui concerne l'introduction et la conclusion d'un exposé. Par ailleurs, d'autres études ont prouvé l'efficacité de la répétition intentionnelle au moment où l'attention se relâchait. Les résultats de ces deux séries de travaux montrent bien l'utilité d'un résumé final qui puisse pallier les distractions éventuelles de votre auditoire. Il s'agit donc de répéter intentionnellement, mais non mécaniquement, l'essentiel de votre message en quelques mots.

◆ **Rappeler les objectifs et réca-pituler les points principaux.** Afin de bien démarquer la conclusion du développement de vos idées, signa-lez à votre auditoire que vous con-cluez: «En résumé», «Pour conclure»... Rappelez vos objectifs de départ et montrez, en récapitulant vos propos et arguments, que vous les avez atteints.

◆ **Terminer par une phrase clé.** Terminez avec une phrase clé, en répé-tant brièvement votre idée centrale afin de frapper la mémoire des auditeurs. Choisissez ce qui convient le mieux :

une illustration, un exemple, une appli-cation, une citation, une opinion que vous appuyez ou que vous réfutez; éventuellement reprenez, comme un leitmotiv, le déclencheur de l'introduc-tion. Incitez les gens à l'action, amenez-les à partager vos vues. Prenez soin, incidemment, de bien chronométrer votre exposé. Ainsi, vous n'aurez pas à vous arrêter sans conclure, ni à étirer la conclusion pour combler votre temps. N'apportez pas non plus d'idées nou-velles, vous risqueriez d'égarer les audi-teurs. Comme pour l'introduction, la conclusion ne devrait pas dépasser 10 % du temps prévu pour votre exposé.

Répondre aux questions

Pour bien répondre aux questions qu'on vous posera, vous devez d'abord apprendre à écouter. En effet, bien des gens ne se concentrent pas suffisam-ment sur ce qu'on leur demande et, en guise de réponse, sautent rapidement à des considérations sans rapport avec le sens de la question. Pour assurer une communication bilatérale tout à fait claire, vous pouvez vous fier à la méthode en trois temps que nous vous proposons ici.

◆ **Reformuler la question.** D'abord, après avoir écouté la question (éven-tuellement en prenant quelques notes), essayez de la reformuler à voix haute, dans vos propres mots. De cette façon, vous vous assurez que vous avez bien saisi la question. Si vous en avez altéré le sens, on vous corrigera immédiate-ment, et vous ne risquerez pas de pas-ser à côté. De plus, vous permettrez à ceux qui n'auraient pas entendu de comprendre la question. Enfin, et ce dernier avantage est pour vous, pen-dant que vous reformulerez la ques-tion, vous aurez quelques secondes pour préparer votre réponse.

◆ **Répondre directement et brièvement.** Ensuite, une fois la question reformulée, répondez, mais

succinctement. Soyez concis, précis, justifiez votre réponse par des argu-ments pertinents et reliez-la aux inté-rêts manifestes des auditeurs. Si vous ne connaissez pas la réponse à la ques-tion qui vous est posée, admettez-le franchement.

◆ **Vérifier si la réponse est satisfaisante.** Enfin, assurez-vous auprès de votre interlocuteur que votre réponse ou votre explication le satisfait. Un simple signe de tête, un «Ça va ?», ou un «Est-ce que ça répond à votre question ?» suffisent. Vous pourrez ainsi passer à la question suivante, la reformuler, y répondre et vérifier la pertinence de la réponse. ❑

> **Reformulez la question,**
>
> **Répondez directement et brièvement,**
>
> **Vérifiez si la réponse est satisfaisante.**

S'exercer
à donner l'exposé

La préparation de l'exposé a exigé de vous une bonne somme de travail. Or tout n'est pas terminé pour autant ; vous aurez encore, surtout si vous êtes un orateur débutant, à vous exercer avant de le donner. Chaque simulation vous permettra d'orchestrer les divers éléments de votre présentation, de polir l'ensemble et, enfin, d'acquérir une plus grande confiance en vous. Nous vous suggérons ici deux façons de vous exercer à donner votre exposé.

◆ **S'exercer seul.** La façon la plus simple de procéder, c'est de simuler l'exposé seul dans votre for intérieur. Placez-vous mentalement devant votre auditoire et exercez-vous à enchaîner chacune des étapes de l'exposé. Vous pouvez vous arrêter, commenter une diapositive, reprendre un élément, etc. Cette forme minimale d'exercice est essentielle, même pour un orateur averti. Cependant, pour un débutant, elle ne suffit pas. En vous limitant à un exercice mental, vous aurez du mal à apprécier la clarté de votre discours, la fluidité de vos enchaînements, l'intégration de vos supports visuels, la façon dont vous exploitez votre temps de parole, et surtout la façon dont vous arrivez à vous servir des stimuli (voix et discours, regard, gestes et déplacements).

Perfectionnez un peu votre méthode. Installez-vous devant un miroir, et reprenez tout haut l'exercice précédent. Déjà vous pourrez «voir et entendre» ce que verra et entendra l'auditoire lors de l'exposé.

Si vous voulez aller plus loin, enregistrez-vous aussi sur magnétophone. L'enregistrement vous permettra de mieux prendre vos distances avec vous-même et de vous autocritiquer quant à la façon dont vous avez mis en pratique chacune des habiletés de communication dont nous avons parlé. Enfin, si vous pouvez vous enregistrer en vidéo, vous verrez de façon très réaliste de quoi vous aurez l'air lors de l'exposé.

◆ **S'exercer avec des observateurs.** On s'exerce avec beaucoup plus de profit si on le fait devant des observateurs : des membres de votre équipe de travail, par exemple, des amis ou même des gens qui assisteront plus tard à l'exposé «officiel». Les observateurs pourront évaluer beaucoup plus objectivement que vous-même toutes les composantes de votre prestation dans des conditions proches de la réalité. Vous obtiendrez d'eux un diagnostic très précis, si vous leur demandez de remplir une grille d'évaluation (voir celles de l'annexe B).

Ne vous contentez pas d'une seule simulation. Recommencez, avec les moyens que vous voulez, jusqu'à ce que vous soyez satisfait. Ainsi, vous aurez mis toutes les chances de votre côté et pourrez dès lors tenir pour acquis que votre exposé «officiel» sera couronné de succès. ❑

> **Simulez l'exposé seul dans votre for intérieur... devant un miroir... sur magnétophone... en vidéo... devant des observateurs... avec une grille d'évaluation.**

Conclusion

La méthode, les techniques, les «trucs» que nous avons décrits dans ce texte ne sont évidemment pas infaillibles. Cependant, pour les avoir expérimentés pendant des années et pour les avoir comparés à d'autres, nous sommes certains de leur valeur et de leur pertinence. Avec toutes ces recommandations, nous ne visons pas à faire de vous un champion de l'art oratoire, mais à tout le moins, dans un avenir que nous espérons rapproché, un orateur à l'aise.

Vous vous sentez peut-être écrasé par l'avalanche de nos conseils et de nos mises en garde. La meilleure façon de vous libérer de cette impression, c'est de passer à la pratique. Ne repoussez pas les occasions de parler en public. Si vous vous préparez méthodiquement, vous prendrez très vite goût à la communication orale. La conquête d'un auditoire, même modeste, même familier, est une expérience tellement stimulante que, dès la première fois que vous l'aurez réussie, vous ne demanderez qu'à recommencer. Votre plaisir à parler déterminera le plaisir que vos auditeurs éprouveront à vous écouter. Dès lors, on n'aura plus besoin de vous convaincre du fait que communiquer avec un public peut devenir une expérience passionnante. ❑

Annexes

Annexe A
Aide-mémoire

Préparer l'exposé

Remarque. On trouve dans le volet *Préparer* du **cédérom** qui accompagne ce guide des fiches de travail détaillées à propos des étapes de préparation d'un exposé. On peut remplir les fiches à l'écran et les imprimer.

1re étape - **Adapter l'exposé à l'auditoire**

Analysez les caractéristiques de votre auditoire à partir des éléments ci-dessous. Lesquels peuvent orienter la préparation ou la présentation de votre exposé ?

Taille du groupe	Âge	Expérience et connaissances dans le domaine
Formation	Culture	Attitude envers le sujet
Occupation	Intérêt ou besoins par rapport au sujet	Attitude envers l'orateur

---

2e étape - **Adapter l'exposé aux circonstances**

Analysez les circonstances de votre exposé à partir des éléments ci-dessous. Lesquels peuvent orienter la préparation ou la présentation de votre exposé ?

Contexte (réunion, conférence, cours, etc.)	Position de l'exposé dans l'horaire	Mobilier
Style d'exposé (formel, informel)	Événements extérieurs concomitants	Équipement (ordinateur, projecteur, écran, pointeur, commande à distance, microphone etc.)
Durée de l'exposé (incluant la période de questions)	Dimensions de la salle	Position de l'orateur (debout ou assis; lutrin ou table; etc.)

3e étape - Définir sommairement le contenu de l'exposé

Esquissez le contenu de votre exposé en effectuant les deux opérations ci-dessous.

Remue-méninges à partir de ce que vous savez déjà du sujet de l'exposé.

Confection d'une liste ordonnée des contenus qui ressortent de ce premier survol :

1. _____   2. _____   3. _____

_____   _____   _____

_____   _____   _____ Etc.

4e étape - Préciser le mandat et les objectifs de l'exposé

Pour bien orienter votre exposé, interrogez-vous sur le mandat que vous devez remplir dans le cadre de votre intervention et sur les objectifs de communication qui vous permettront de bien vous acquitter de ce mandat.

Quel est votre mandat ?

Informer ?	Amener à une décision ?	Autre ?
Convaincre ?	Prendre position ?	
Démontrer ?	Formuler des recommandations ?	

Quels sont vos objectifs de communication ?

En tenant compte de votre mandat et à partir de votre première liste de contenus, formulez vos objectifs de communication en vous inspirant des exemples ci-dessous.

[*Verbe d'action* + contenu]	[*Verbe d'action* + contenu]
Résumer le problème x	*Analyser* le cas x
Rapporter les résultats x	*Comparer* les avantages et les inconvénients de x par rapport à y
Justifier la décision x	*Citer* des exemples de x

5e étape - Formuler le titre de l'exposé

Efforcez-vous de formuler un titre d'exposé :

Simple et court (moins de 10 mots)	Fidèle aux objectifs et au contenu de l'intervention
Précis	Accrocheur et dynamique (pouvant éveiller la curiosité)

6ᵉ étape - **Déterminer le contenu définitif de l'exposé**

Pour déterminer le contenu définitif de votre exposé, vous devez disposer de toute l'information nécessaire et vous assurer de sa pertinence par rapport à votre public cible, à votre mandat et à vos objectifs de communication.

S'il manque du matériel, faites une recherche d'information en consultant :

:: des sources documentaires sérieuses et crédibles (livres, périodiques, sites Web fiables, banques de données, etc.);

:: des personnes-ressources (spécialistes du sujet, bibliothécaires, documentalistes, etc.).

Quand l'information est complète, évaluez-la par rapport aux besoins de l'auditoire, à votre mandat et à vos objectifs de communication :

:: Sélectionnez les éléments d'information les plus pertinents.

:: Écartez les autres.

7ᵉ étape - **Bâtir le plan de l'exposé**

Vous pouvez bâtir votre plan d'exposé en utilisant le canevas qui suit.

Points principaux	Points secondaires	Durées approximatives	Supports visuels
....	....	....	....
....	....	....	....

:: Faites d'abord le plan du développement, partie centrale de l'exposé.

:: Organisez le développement en points principaux et en points secondaires associés aux points principaux.

:: Planifiez des transitions entre les grandes sections de votre plan.

:: Répartissez le temps de parole dont vous disposez entre les différents points de l'exposé et revoyez l'organisation du plan en fonction de cette première estimation.

:: Planifiez les supports visuels en relation avec les points que vous comptez aborder.

:: Terminez en organisant votre conclusion et votre introduction.

:: Préparez une version allégée de votre plan pour l'auditoire.

8ᵉ étape - Préparer les supports visuels de l'exposé

Déterminez les contenus pour lesquels vous aurez besoin de supports visuels : diapositives électroniques, tableau (tableau à craie, tableau blanc, tableau à feuilles mobiles), documents photocopiés, etc.).
Sélectionnez pour chaque contenu à montrer le support visuel le plus approprié.
Quand vous construirez vos supports visuels, guidez-vous sur les quatre critères suivants :

:: Limitez-vous à un nombre raisonnable d'éléments visuels ;

:: Bornez-vous à un ou deux types de supports différents ;

:: Assurez-vous que tous vos supports visuels sont pertinents et ont une véritable utilité dans le cadre de l'exposé ;

:: Soyez rigoureux quant à la lisibilité et à la clarté du matériel que vous montrerez.

9ᵉ étape - Préparer des notes aide-mémoire
Faites de vos notes aide-mémoire un outil schématique et structuré, facile et rapide à consulter.

CONTENU DES NOTES
Reportez sur des feuillets ou des fiches :

:: les éléments clés de votre introduction, de votre développement et de votre conclusion ;

:: des points à mettre en évidence lors de l'affichage d'un tableau ou d'une figure ;

:: des indications sur le moment propice pour faire une transition, pour entreprendre une récapitulation, etc. ;

:: des rappels relatifs aux habiletés de communication : «ralentir», «montrer», etc.

ORGANISATION DES NOTES
Travaillez avec un petit nombre de feuillets ou de fiches.

Paginez-les.

Donnez à vos notes une bonne organisation graphique :

:: en y schématisant les points principaux et les points secondaires ;

:: en assurant un repérage rapide de l'information (code de couleurs ou autre système) ;

:: en variant la typographie ;

:: en numérotant les sections.

COPIE IMPRIMÉE DES DIAPOSITIVES ÉLECTRONIQUES
Vous pouvez tout aussi bien construire vos notes aide-mémoire à même une copie imprimée de vos diapositives électroniques, si vous en utilisez.

Donner l'exposé

Remarque. Le cédérom qui accompagne ce guide inclut des fiches aide-mémoire détaillées à propos des habiletés de communication résumées ci-dessous. Ces fiches sont associées au volet *Donner* du cédérom.

Maîtriser sa nervosité

Vous pouvez contrôler votre trac en ayant recours à différents moyens :

:: Préparez consciencieusement tous les aspects de l'exposé ;

:: Exercez-vous avant de donner l'exposé ;

:: Trouvez des moyens appropriés de vous décontracter (bouger, respirer profondément, parler avec des personnes de l'auditoire, etc.);

:: Concentrez-vous sur votre tâche et sur les personnes de l'auditoire.

Introduire son sujet

Une bonne introduction d'exposé n'excède pas 10 % du temps total de l'intervention et se joue en trois étapes :

:: Prenez le temps de vous installer et de vérifier que l'auditoire est prêt à vous écouter.

:: Captez l'attention en saluant l'auditoire, en vous identifiant et en utilisant, s'il y a lieu, un déclencheur :

| Question | Anecdote | Fait de l'actualité | Etc. |

:: Annoncez votre titre d'exposé, vos objectifs, votre plan et les détails relatifs au déroulement de la présentation.

Structurer son propos

Aidez l'auditoire à comprendre le contenu de l'exposé et à se repérer dans le déroulement de l'exposé avec:

Des définitions utiles	Des applications concrètes	Des transitions explicites bien placées
Des exemples éclairants	Des reformulations des points les plus difficiles	Des rappels périodiques du plan

Utiliser efficacement les supports visuels

Sachez vous servir adéquatement des supports visuels que vous aurez préparés pour l'exposé.

DIAPOSITIVES ÉLECTRONIQUES

:: Assurez-vous d'être à l'aise avec le fonctionnement de votre logiciel et de l'équipement dont vous aurez besoin pour projeter vos diapositives.

:: Ne vous détournez pas de votre auditoire pour contempler vos diapositives ou pour les lire mécaniquement.

:: Utilisez avec sobriété les enchaînements animés et les procédés d'affichage progressif.

:: Utilisez un pointeur laser ou un procédé de mise en relief électronique pour diriger l'attention de votre auditoire sur les parties importantes de vos diapositives.

TABLEAU

:: Écrivez en gros caractères et couvrez toute la surface du tableau méthodiquement.

:: Avant d'effacer ou de tourner la page (tableau à feuilles mobiles), vérifiez que l'auditoire a fini de lire ou de transcrire.

PHOTOCOPIES

:: Distribuez les photocopies au début de l'exposé.

:: Faites-y référence explicitement pendant votre exposé.

Varier les stimuli

Sachez comment tirer parti de votre voix et de votre discours, de votre regard, et de vos gestes et déplacements.

VOIX ET DISCOURS

:: Assurez-vous que le volume de votre voix est adéquat.

:: Au besoin, utilisez un microphone.

:: Soignez la prononciation et l'articulation.

:: Modulez vos intonations de façon naturelle.

:: Ajustez votre débit sur une moyenne de 120 mots à la minute.

:: Exprimez-vous dans une langue correcte et soignée.

REGARD

:: Utilisez une bonne technique de contact visuel avec l'auditoire : balayage visuel, triangles imaginaires, etc.

:: Ne parlez pas en fixant vos notes, l'écran, ou le vide…

GESTES ET DÉPLACEMENTS

:: Autant que possible, parlez debout.

:: Si le contexte s'y prête, ne restez pas immobile et déplacez-vous : vers l'écran, en direction de l'auditoire, pour montrer quelque chose au tableau, etc.

Conclure

Une bonne conclusion d'exposé n'excède pas 10 % de la durée totale de l'intervention et se joue en trois étapes :

:: Démarquez la conclusion de ce qui précède avec une annonce claire.

:: Revenez brièvement, mais sans les répéter mécaniquement, sur les points principaux de votre intervention.

:: Terminez sur un message significatif.

Répondre aux questions

Pour répondre adéquatement aux questions qu'on peut vous adresser dans le cadre d'un exposé, il faut d'abord les écouter avec attention. Ensuite, vous pouvez procéder de la façon suivante :

:: Reformulez la question dans vos propres termes pour vous assurer que vous l'avez bien comprise et que toute la salle l'a entendue.

:: Répondez brièvement sans dévier du sujet. Si vous ne connaissez pas la réponse à la question posée, dites-le ouvertement.

:: Vérifiez que la personne qui a posé la question est satisfaite de votre réponse ou de votre explication.

S'exercer à donner l'exposé

Vous retirerez beaucoup de profit à vous exercer avant de donner votre exposé. Vous pouvez le faire de différentes façons :

Exercez-vous seul :

:: Mentalement

:: Devant un miroir

:: En vous enregistrant sur magnétophone

:: En vous enregistrant sur vidéo

Exercez-vous avec des observateurs, qui évalueront votre prestation au moyen d'une grille présentant des critères précis.

Annexe B
Deux grilles d'évaluation

Nous proposons ici deux types de grilles d'évaluation d'exposé, adaptés à des contextes d'évaluation différents. Diverses catégories d'observateurs peuvent utiliser ces outils : professeurs, pairs étudiants, spécialistes de la communication ou les trois simultanément.

Grille détaillée pour orateurs débutants ou peu expérimentés

Cette grille comprend deux volets. Le premier porte sur la *forme* de l'exposé et passe en revue tous les comportements relatifs aux habiletés de communication qu'il est nécessaire de maîtriser lors d'un exposé, et dont nous parlons dans le guide et dans le cédérom qui l'accompagne. Le deuxième volet de la grille n'est pas explicitement couvert dans le texte du guide, mais il prend en compte un aspect fondamental de tout exposé : le *contenu*. On regroupe là des critères destinés à évaluer la démarche intellectuelle de l'orateur et la façon dont il maîtrise la matière traitée dans l'exposé.

Contexte d'utilisation. Cette grille, qui détaille chaque dimension de l'exposé, permet de fournir une rétroaction très précise sur les forces et les faiblesses de l'orateur. Elle se prête donc très bien à l'évaluation formative d'orateurs débutants ou peu expérimentés.

Version longue et version abrégée. Par souci de commodité, nous proposons deux versions de la même grille détaillée. La version longue donne une description complète des différents points à évaluer. La version abrégée ne donne que les termes clés de la version longue : certains utilisateurs la trouveront plus maniable.

Grille globale pour orateurs de niveau intermédiaire

Tout en étant parfaitement conforme aux consignes du guide et du cédérom, cette grille ne les reprend pas dans le détail. Elle porte plutôt sur trois dimensions générales d'un exposé : *structure et organisation*, *habiletés de communication* et *maîtrise du sujet*. Elle vise à évaluer globalement le niveau de compétence d'un orateur par rapport à ces trois dimensions. On distingue ici trois niveaux de compétence : la *maîtrise exemplaire* des principes et techniques de l'exposé, une *bonne maîtrise* de ces principes et techniques, et une *maîtrise insuffisante* de ces mêmes éléments.

Contexte d'utilisation. Ce type de grille est bien adapté à l'évaluation sommative (ou finale) d'orateurs de niveau intermédiaire ou possédant une certaine expérience de la communication orale.

Grille d'évaluation détaillée pour orateurs débutants ou peu expérimentés
(version longue)

Nom de l'orateur _____

Nom de l'observateur _____

Directives

:: Cotez chacune des dix dimensions se rapportant à la forme et au contenu de l'exposé en tenant compte globalement des indicateurs qui leur sont associés.

:: Utilisez l'échelle de réponse ci-dessous et inscrivez le chiffre approprié dans la case correspondante.

Échelle de réponse

| 1, 2, 3 - très faible | 4, 5 - faible | 6, 7 - bon | 8, 9 - très bon | 10 - excellent |

FORME

1. Introduction
L'exposé comportait-il une bonne introduction ? . . . . □

:: L'orateur a réussi à établir rapidement le contact avec l'auditoire, par exemple à l'aide d'un élément déclencheur approprié.

:: Il a énoncé clairement les objectifs de son exposé dès le début de son intervention.

:: Il a annoncé le titre de l'exposé ainsi que son plan, et donné des indications sur le déroulement de l'intervention.

:: L'introduction avait une longueur adaptée à l'envergure de l'exposé.

2. Plan et structure
Dans le déroulement de l'exposé, l'orateur a-t-il fait preuve de structure et d'organisation ? . . . . □

:: Son plan d'exposé était bien construit.

:: Il a affiché ou énoncé clairement son plan.

:: Il a fourni des définitions, des exemples et des précisions utiles.

:: Par des rappels du plan bien placés, il a aidé l'auditoire à se repérer.

:: Il a effectué habilement les transitions d'un point à l'autre de son plan.

:: Il a respecté le temps qui lui était alloué.

3. Supports visuels
Les supports visuels étaient-ils appropriées et bien utilisés ?. . . . . □

:: Le choix de supports visuels était approprié.

:: Chaque support visuel était bien conçu, pertinent et lisible.

:: La quantité de supports utilisés était adéquate.

:: L'orateur utilisait avec adresse les différents supports dont il s'est servi.

4. Variation des stimuli
L'orateur a-t-il su capter et maintenir l'attention par une variation de stimuli adéquate ?. . . . . □

:: Il s'exprimait dans une langue correcte.

:: Il parlait suffisamment fort.

:: Sa prononciation, ses intonations et son débit étaient adéquats.

:: Il a su établir et maintenir le contact visuel avec l'auditoire.

:: Ses gestes et déplacements étaient naturels et appropriés.

5. Conclusion
L'exposé comportait-il une bonne conclusion ?. . . . .

:: L'orateur a démarqué sa conclusion de ce qui précédait.

:: Il est revenu brièvement sur les objectifs et les points importants de son exposé.

:: Il a terminé par un message significatif facile à retenir.

:: La conclusion avait une longueur adaptée à l'envergure de l'exposé.

6. Questions de l'auditoire
L'orateur a-t-il répondu adéquatement aux questions ? . . . .

:: Quand c'était nécessaire, il a reformulé les questions qui lui étaient posées.

:: Il a répondu de façon précise et concise aux questions.

:: Il s'est assuré que ses réponses étaient satisfaisantes.

7. Autres aspects
De façon générale, l'exposé semblait-il bien préparé ?. . . . .

:: L'exposé s'adaptait bien à l'auditoire.

:: L'orateur a su tenir compte des contraintes imposées.

:: L'orateur n'a pas été rivé à ses notes aide-mémoire.

CONTENU

8. Maîtrise du sujet
L'orateur maîtrisait-il bien son sujet ? . . . .

:: Il a montré qu'il avait bien assimilé les connaissances relatives au sujet.

:: Il a bien délimité la question à traiter.

:: Il a su départager l'essentiel de l'accessoire sans se perdre dans les détails.

:: Les idées exprimées, l'interprétation ou le traitement du sujet avaient un caractère personnel et original.

9. Bases théoriques et documentation
Les bases théoriques et la documentation étaient-elles satisfaisantes ? . . . .

:: Les différents points traités étaient étayés par des données documentaires, des faits objectifs et des exemples pertinents.

:: L'exposé s'appuyait sur des bases théoriques solides.

:: La documentation citée ou utilisée était suffisante.

:: La documentation citée ou utilisée était pertinente.

10. Capacités d'analyse
L'orateur a-t-il fait preuve de bonnes capacités d'analyse ? . . . .

:: Il a bien manié les concepts propres à sa discipline.

:: Il a su évaluer la portée des faits présentés et intégrer ces faits à l'ensemble du raisonnement ou de la démonstration.

:: Il a su conduire méthodiquement le raisonnement ou la démonstration et les mener à terme.

TOTAL _____ /100

Grille d'évaluation détaillée pour orateurs débutants ou peu expérimentés
(version abrégée)

Nom de l'orateur _____

Nom de l'observateur _____

Directives
:: Cotez chacune des dix dimensions se rapportant à la forme et au contenu de l'exposé en tenant compte globalement des indicateurs qui leur sont associés.

:: Utilisez l'échelle de réponse ci-dessous et inscrivez le chiffre approprié dans la case correspondante.

Échelle de réponse
1, 2, 3 - très faible   4, 5 - faible   6, 7 - bon   8, 9 - très bon   10 - excellent

FORME

1. Introduction . . . . □
:: contact
:: objectifs
:: annonce du titre, du plan et du déroulement
:: durée adéquate

2. Plan et structure . . . . □
:: plan bien construit
:: annonce du plan
:: définitions, exemples, précisions utiles
:: rappels du plan
:: transitions
:: respect du temps alloué

3. Supports visuels . . . . □
:: choix de supports approprié
:: supports bien conçus, pertinents et lisibles
:: quantité adéquate
:: utilisation adroite des supports

4. Variation des stimuli . . . . □
:: langue correcte
:: volume de la voix approprié
:: prononciation, intonations et débit adéquats
:: contact visuel avec l'auditoire
:: gestes et déplacements naturels et appropriés

5. Conclusion. . . . . □
:: conclusion démarquée
:: retour sur les objectifs et points importants
:: message final significatif
:: durée adéquate

6. Questions de l'auditoire . . . . □
:: reformulation
:: réponse concise et précise
:: vérification

7. Autres aspects . . . . □
:: préparation générale
:: adaptation à l'auditoire
:: adaptation aux contraintes
:: utilisation des notes aide-mémoire

CONTENU

8. Maîtrise du sujet . . . . □
:: assimilation des connaissances
:: délimitation de la question
:: distinction entre essentiel et accessoire
:: originalité

9. Bases théoriques et
     documentation. . . . . □
:: données documentaires, faits objectifs, exemples pertinents
:: bases théoriques solides
:: documentation suffisante
:: documentation pertinente

10. Capacités d'analyse . . . . □
:: maniement des concepts
:: évaluation des faits et intégration au raisonnement
:: conduite du raisonnement et aboutissement

TOTAL _____ /100

Grille globale d'évaluation pour orateurs de niveau intermédiaire

Nom de l'orateur _____

Nom de l'observateur _____

Directives

:: Évaluez chacune des trois dimensions de l'exposé en tenant compte des indicateurs qui leur sont associés.

:: Dans la case associée à chaque dimension, reportez la cote qui correspond à votre évaluation (voir les fourchettes de chiffres et les repères qualitatifs).

NIVEAUX DE COMPÉTENCE

DIMENSIONS	Maîtrise exemplaire EXCELLENT 10	Bonne maîtrise TRÈS BON / BON 9 - 8 / 7 - 6	Maîtrise insuffisante FAIBLE / TRÈS FAIBLE 5 - 4 / 3 et moins
Structure/ Organisation [ ]	:: L'orateur manifestait un niveau de préparation exceptionnel. :: Le niveau de l'exposé était parfaitement adapté à l'entendement ou aux attentes de l'auditoire. :: L'orateur a su combiner et enchaîner faits, idées, exemples et arguments de manière remarquablement fluide du début jusqu'à la fin de l'exposé. :: L'orateur a parfaitement respecté le temps alloué pour l'exposé et l'a réparti adéquatement entre les différents points de l'intervention.	:: L'orateur était correctement préparé pour son exposé. :: Le niveau de l'exposé était assez bien adapté à l'entendement ou aux attentes de l'auditoire. Il n'était ni trop complexe, ni simpliste. :: L'orateur a su combiner et enchaîner correctement faits, idées, exemples et arguments du début jusqu'à la fin de l'exposé. :: L'orateur n'a pas tout à fait respecté le temps alloué pour l'exposé. Il l'a assez bien réparti entre les différents points de l'intervention.	:: L'orateur était manifestement mal préparé. :: Le niveau de l'exposé n'était pas bien adapté à l'entendement ou aux attentes de l'auditoire. :: Il y avait de la confusion dans la façon dont l'orateur a combiné faits, idées, exemples et arguments du début jusqu'à la fin de l'exposé. :: L'orateur n'a pas du tout respecté le temps alloué pour l'exposé. Il a plutôt mal réparti son temps entre les différents points de l'intervention.

Grille globale d'évaluation pour orateurs de niveau intermédiaire (suite)

Directives

:: Évaluez chacune des trois dimensions de l'exposé en tenant compte des indicateurs qui leur sont associés.

:: Dans la case associée à chaque dimension, reportez la cote qui correspond à votre évaluation (voir les fourchettes de chiffres et les repères qualitatifs).

NIVEAUX DE COMPÉTENCE

DIMENSIONS	Maîtrise exemplaire	Bonne maîtrise		Maîtrise insuffisante	
	EXCELLENT 10	TRÈS BON 9 - 8	BON 7 - 6	FAIBLE 5 - 4	TRÈS FAIBLE 3 et moins
Habiletés de communication	:: L'orateur s'est montré très dynamique, sans tomber dans l'excès; il a su captiver l'auditoire durant tout l'exposé.	:: L'orateur s'est montré assez dynamique et il a su capter et conserver l'attention de l'auditoire durant la majeure partie de l'exposé.		:: Dans l'ensemble, l'orateur était plutôt ennuyant, son discours était par moments décousu et peu intéressant ; l'auditoire était souvent distrait.	
	:: L'orateur communiquait avec une aisance remarquable ; il a su entretenir le contact visuel avec l'auditoire; s'exprimer d'une voix sûre et bien posée, dans une langue impeccable; ses gestes et déplacements étaient toujours naturels et pertinents.	:: L'orateur s'est montré bon communicateur ; la plupart du temps, il a maintenu le contact visuel avec l'auditoire ; il s'est exprimé d'une voix intelligible avec un bon débit et, en général, dans une langue correcte. Ses gestes et déplacements étaient appropriés.		:: Plusieurs faiblesses ont marqué l'exposé : manque de contact visuel avec l'auditoire, élocution laborieuse ou confuse, tics verbaux, fautes de langue fréquentes, gestes et déplacements incohérents ou mal contrôlés.	
	:: Le nombre de supports visuels était approprié ; ils étaient très bien conçus et d'une parfaite lisibilité. L'orateur les a utilisé de façon exemplaire pour renforcer son discours.	:: Le nombre de supports visuels était adéquat ; la plupart étaient bien conçus et bien lisibles. L'orateur les a correctement utilisés pour renforcer son discours.		:: Il y avait trop ou pas assez de supports visuels. La plupart étaient mal conçus, difficiles à lire ou à décoder. L'orateur ne les exploitait pas efficacement dans le cadre de son discours.	
	:: L'orateur s'y prenait habilement pour	:: L'orateur ne s'y prenait pas toujours habi-		:: L'orateur s'est montré maladroit dans sa	

Maîtrise du sujet ☐	:: L'orateur était parfaitement à l'aise avec le sujet ; il maniait avec adresse les faits et les concepts.	:: L'orateur était à l'aise avec le sujet ; dans l'ensemble, il maniait habilement la plupart des faits et des concepts.	:: L'orateur ne maîtrisait pas son sujet ; des imprécisions ou même des erreurs ponctuaient son propos.
	:: L'orateur apportait des arguments parfaitement clairs, convaincants et fondés sur des faits ou des exemples éclairants.	:: Les arguments de l'orateur étaient clairs et suffisamment appuyés par des faits ou des exemples.	:: Les arguments de l'orateur était faibles, parfois confus et rarement appuyés par des faits ou des exemples convaincants.
	:: Par son raisonnement ou son analyse, l'orateur a prouvé hors de tout doute sa parfaite compréhension du sujet.	:: Par son raisonnement ou son analyse, l'orateur a démontré une bonne compréhension du sujet.	:: À cause des failles de son raisonnement ou de son analyse, l'orateur a laissé voir qu'il n'avait pas une bonne compréhension du sujet.
	:: L'exposé avait un caractère très nettement personnel ou original.	:: L'exposé avait un certain caractère personnel ou original.	:: L'exposé n'avait aucun caractère personnel ou original.
	:: L'orateur a su répondre avec justesse aux questions de l'auditoire, engageant même un dialogue stimulant avec celui-ci.	:: L'orateur répondait correctement aux questions de l'auditoire, sans plus.	:: L'orateur ne parvenait pas à répondre aux questions à la satisfaction des intervenants.
TOTAL ____ /30	COMMENTAIRES		

Annexe C
Conseils pratiques pour la conception et l'utilisation des supports visuels

>> Diapositives électroniques

> CONCEPTION
Organisation du contenu

:: Les présentations assistées par ordinateur sont particulièrement efficaces pour du matériel graphique (images, figures, schémas, etc.). Si vous devez plutôt montrer du texte, efforcez-vous de sortir de l'affichage purement linéaire : par exemple, présentez vos idées et vos termes clés dans une arborescence ou dans toute autre organisation visuelle mettant en évidence la hiérarchie et les rapports des contenus, ceci au moyen de flèches, d'encadrés, de bulles, etc. N'en restez pas aux listes à puces, si le sujet et l'orientation de votre exposé s'y prêtent.

:: Si vous montrez surtout du texte, donnez-lui la forme de mots clés ou découpez-le en courts segments. Ne dépassez pas trois niveaux de texte, ou trois niveaux de puces et d'indentation.

:: Limitez l'affichage de texte à six ou sept «points» par diapositive, que vous organiserez en liste à puces, par exemple. N'affichez pas plus que six à huit mots par ligne.

:: Entre chaque élément d'une liste à puces, vous devriez prévoir un espace correspondant à 50 % de la taille du caractère employé. Par exemple, pour un texte en 28 points, on mettra un espacement d'une hauteur de 14 points.

:: Si vous devez absolument afficher du texte en continu, limitez-vous à des segments de deux ou trois phrases (quatre à six lignes), et prévoyez un temps de lecture approprié pour l'auditoire.

:: Vos diapositives devraient inclure divers repères relatifs au déroulement de l'exposé et à la structure de son support visuel. Par exemple, prenez soin de «paginer» vos diapositives. Signalez par un moyen ou un code quelconque où on en est dans le plan de l'exposé :
- Réaffichez périodiquement le plan en marquant (couleur, encadré, etc.) le point qu'on va aborder;
- Affichez, dans chaque diapositive, un en-tête ou une icône indiquant le point du plan auquel on se réfère.
- Etc.

:: L'emplacement des titres, des icônes et de tous les éléments graphiques récurrents de vos diapositives doit rester le même d'une diapositive à l'autre. Vous devez également observer ce principe d'uniformité pour l'utilisation des couleurs, des styles et des polices de caractères.

Couleurs

:: Il peut être avantageux d'utiliser l'une des maquettes préconstruites qui sont souvent incluses dans les logiciels de présentation assistée par ordinateur : en général, la palette de couleurs y est bien équilibrée (de même que les différents niveaux de typographie).

:: Fonds clairs ou fonds foncés ? Utilisez de préférence des fonds clairs : ils conviennent à la plupart des éclairages et facilitent la lecture; en général, les tons clairs sont perçus comme plus énergisants que les tons foncés.

:: À la rigueur, vous pouvez utiliser des fonds foncés, mais faites-le avec des caractères bien contrastés. Même si vous disposez d'une salle aux conditions d'éclairage parfaites et d'un projecteur à haute résolution, un diaporama sombre risque toujours d'installer une sorte de léthargie dans l'auditoire.

:: Méfiez-vous des fonds texturés (motifs, filigranes, etc.), car ils peuvent nuire à la lisibilité.

:: Contrastez bien les couleurs du texte et des autres éléments de contenu avec la couleur de fond.

:: Quand vous choisissez une paire de couleurs pour le fond d'écran et les éléments de contenu de vos diapositives, évitez les combinaisons suivantes : rouge avec vert, avec noir ou avec bleu; jaune avec violet, avec vert ou avec orangé.

:: Limitez-vous à trois ou quatre couleurs pour l'ensemble de vos diapositives.

:: Faites en sorte que l'emploi des couleurs corresponde à un code cohérent : par exemple, une couleur constante et distincte pour les titres de premier niveau, une autre pour les titres du deuxième niveau, et ainsi de suite; encore une couleur spécifique pour mettre en relief des éléments sur lesquels on veut insister; etc.

Polices et tailles de caractères

:: Travaillez avec une police de caractères lisible, sans empattement (Arial, Verdana, Helvetica, Tahoma, etc.) : ce type de police donne d'excellents résultats à la projection. Pour les titres, on peut cependant utiliser une police à empattement (comme Times ou Garamond).

:: Pour une meilleure lisibilité, évitez les caractères scripts (de type cursif) et, autant que possible, les *italiques*.

73

:: Si vous tenez à utiliser plus d'une police, limitez-vous à deux : l'une pour les titres, l'autre pour le reste.

:: Encore pour des raisons de lisibilité, évitez d'écrire des segments de texte entièrement en majuscules. On lit mieux les caractères minuscules. Réservez la majuscule à ses emplois courants : démarcation de mot, initiale de phrase ou de titre, etc.

:: Variez la taille des caractères de façon à refléter la hiérarchie des contenus.

:: Limitez-vous à un jeu de trois ou quatre tailles différentes de caractères.

:: Sélectionnez vos tailles de caractères en tenant compte des conditions de projection (taille de l'écran et distance entre le projecteur et l'écran) et des dimensions de la salle où vous projetterez vos diapositives. Voici des échelles de tailles de caractères adaptées à différentes capacités de salle :
• capacité de 200 personnes : titres en 42 points, texte de premier niveau en 36 points, texte de second niveau en 32 points.
• capacité de 100 personnes : titres en 40 points, texte de premier niveau en 34 points, texte de second niveau en 28 points.
• capacité de 50 personnes : titres en 38 points, texte de premier niveau en 32 points, texte de second niveau en 26 points.
• capacité de 30 personnes : titres en 36 points, texte de premier niveau en 28 points, texte de second niveau en 24 points.

:: Les tailles minimales de titres sont comprises entre 28 et 36 points. On recommande de ne pas descendre sous les 20 points pour le texte.

:: Selon la police utilisée, la gradation des tailles de caractères peut être plus ou moins marquée. Des ajustements sont presque toujours nécessaires.

Enchaînements et affichages progressifs animés

:: Les logiciels de présentation offrent toute une panoplie d'effets d'enchaînement pour l'affichage successif des diapositives : fondu, balayage, déroulement ou enroulement, etc. Optez toujours pour la sobriété dans ce domaine, et conservez le même type d'enchaînement du début à la fin de la présentation.

:: Méfiez-vous des enchaînements qui ralentissent l'affichage des diapositives : ils risquent de briser le rythme de votre discours.

:: Utilisez l'affichage progressif des contenus d'une diapositive seulement si le procédé se justifie par rapport à votre stratégie d'explication ou de démonstration. Par exemple, l'affichage progressif ligne par ligne peut être pertinent s'il est important, pour faire comprendre un raisonnement, de se concentrer sur une étape à la fois, qu'on affichera donc séparément des autres.

:: Si vous employez l'affichage progressif, évitez les effets spéciaux excessifs, du type «mitraillage» de lettres ou de mots.

UTILISATION

:: Servez-vous de préférence d'une commande à distance pour faire défiler vos diapositives; ainsi, vous ne serez pas contraint de revenir sans cesse à l'ordinateur et vous pourrez vous déplacer à votre aise.

:: Profitez des fonctions d'impression de votre logiciel de présentation, et préparez une copie imprimée de vos diapositives pour l'auditoire, qui disposera ainsi d'une sorte de condensé de votre exposé et pourra même s'en servir pour prendre des notes.

:: Vous pouvez aussi déposer votre fichier de diapositives sur un site Web et en indiquer l'adresse à l'auditoire : affichez-la, par exemple, sur l'une de vos premières diapositives et réaffichez-la sur la dernière. Attention : si vous retenez cette option, il faut vous assurer que le matériel restera bel et bien accessible pendant une période de temps raisonnable.

Tableau
(tableau et craie, tableau blanc, tableau à feuilles mobiles)
:: N'exigez pas trop du tableau, dont les possibilités sont limitées; utilisez aussi d'autres moyens.

:: Ne transcrivez pas tout ce que vous dites; sélectionnez l'essentiel; utilisez d'autres supports pour le reste.

:: Écrivez au tableau, par exemple, le plan de votre exposé, les éléments clés de votre démonstration, un schéma résumant votre propos, etc.

:: Écrivez distinctement; vérifiez la lisibilité de votre écriture auprès de l'auditoire.

:: Ne cachez pas le tableau.

Photocopies

CONCEPTION

:: Veillez à ce que chaque document soit pertinent et remplisse une fonction bien spécifique. Évitez les photocopies superflues qui iront directement au recyclage ou à la poubelle.

:: Assurez-vous de respecter la loi sur les droits de reproduction.

:: Limitez le nombre de documents à distribuer.

:: Donnez un titre à chaque document, titre que vous placerez bien en évidence au haut de la première page.

:: Inscrivez sur vos documents vos coordonnées, le titre et la date de votre exposé.

:: Soignez l'aspect visuel de chacun de vos documents :
• Donnez-leur une mise en pages aérée;
• Mettez en évidence le titre et les sous-titres, les tableaux et les figures;
• Utilisez une numérotation interne simple pour identifier clairement chaque bloc d'information;
• Utilisez une typographie claire; servez-vous méthodiquement des diverses combinaisons de caractères (romains, italiques, gras, maigres, minuscules, majuscules).

:: Paginez chaque document de façon continue (de 1 à n).

:: Numérotez vos documents (document n° 1, n° 2, etc.).

:: Si possible, agrafez ensemble tous les documents photocopiés à distribuer.

> UTILISATION

:: Exploitez les documents photocopiés en faisant des liens explicites entre le contenu de votre exposé et celui des documents, en suscitant des questions auxquelles l'auditoire peut trouver des réponses grâce à la lecture de ces documents, en revenant sur cette lecture, etc.

:: Si le temps le permet, n'hésitez pas à lire devant l'auditoire une phrase ou un passage d'un document que vous avez distribué. C'est là une façon efficace d'intégrer véritablement le document au propos de l'exposé.

>> **Transparents** (pour rétroprojecteur)

> CONCEPTION

:: Préparez d'avance vos transparents : vous gagnerez du temps; la structure de votre exposé sera meilleure; vous éprouverez plus de plaisir à communiquer.

:: Soyez «visuel» dans la conception de vos transparents (disposition-couleurs-graphisme).

:: Ménagez des espaces libres sur vos transparents, espaces que vous pourrez éventuellement remplir directement devant l'auditoire.

:: Vérifiez la lisibilité de vos transparents :
- Limitez-vous à quinze lignes de texte;
- N'inscrivez que des mots clés ;
- Utilisez des stylos feutres spéciaux.

:: Inscrivez, au haut de chaque transparent, le numéro ou le sous-titre faisant référence à votre plan d'exposé.
:: Intercalez des feuilles blanches entre vos transparents : sur un fond opaque, vous verrez mieux ce qui y est écrit ou illustré.

UTILISATION
:: Avant l'exposé, ajustez la position et l'angle de l'écran, l'angle du rétroprojecteur, la mise au point, la distance entre le rétroprojecteur et l'écran, l'horizontalité des textes, etc.

:: Pendant que vous parlez, vérifiez de temps à autre la position de l'image sur l'écran.

:: Durant l'exposé, soyez ordonné : rangez vos transparents systématiquement, afin de retrouver facilement, le cas échéant, celui que vous souhaiteriez réafficher.

:: Selon la salle ou l'installation, pointez directement sur le rétroprojecteur avec un crayon ou un stylo, ou encore sur l'écran même avec un pointeur laser.

:: Ne vous placez pas dans le champ de projection : vous en serez incommodé et vous dérangerez les spectateurs.

:: Ne parlez pas constamment face à l'écran ; tournez-vous vers l'auditoire.

:: Utilisez des caches, des rabats, un pointeur que vous pourrez diriger sur l'élément du transparent à faire ressortir.

:: Commentez ce qui est projeté de façon à solliciter l'ouïe tout autant que la vue de l'auditoire.

Références

ANHOLT, Robert R. H. *Dazzle'Em with Style : the Art of Oral Scientific Presentation*, New York, W.H. Freeman, 1994.

BÉNICHOUX, Roger. *Guide de la communication médicale et scientifique : comment écrire, comment dire (en français et en anglais)*, 3e éd., Montpellier (France), Sauramps, 1997.

FLETCHER, Leon. *How to Design and Deliver Speeches*, 8th ed., Boston, Allyn and Bacon, 2003.

GIRARD, Francine. *Apprendre à communiquer en public*, 2e éd. rev. et corr., Mont Saint-Hilaire (Québec), La Lignée, 1985.

GRENIER, Suzanne, BÉRARD, Sylvie (sous la direction de Sophie Malavoy). *Guide pratique de communication scientifique : comment captiver son auditoire.* Montréal, Association francophone pour le savoir – Acfas, 2002.

HUBA, Mary E., FREED, Jann E. *Learner-Centered Assessment on College Campuses : Shifting the Focus to Learning*, Boston, Allyn and Bacon, 2000.

KENNY, Peter. *A Handbook of Public Speaking for Scientists and Engineers*, Bristol (Grande-Bretagne), Adam Hilger, 1982.

SERVICE DE PÉDAGOGIE UNIVERSITAIRE DES FACULTÉS UNIVERSITAIRES NOTRE-DAME DE LA PAIX DE NAMUR. «Le (power) point sur les logiciels de présentation». *Réseau*, no 55 (août 2004), [en ligne]. [http://www.det.fundp.ac.be/spu/arch_reseau.htm] (récupéré le 27 mai 2005).

STEVENS, Dannelle D., LEVI, Antonia J. *Introduction to Rubrics : an Assessment Tool to Save Grading Time, Convey Effective Feedback and Promote Student Learning.* Sterling (Virginia), Stylus Publishing, 2005.

VILLENEUVE, Stéphane. «Les logiciels de présentation en pédagogie : efficacité de l'utilisation des logiciels de présentation en pédagogie universitaire », *Revue internationale des technologies en pédagogie universitaire* 1(1), 2004, [en ligne]. [http://www.profetic.org/revue] (récupéré le 27 mai 2005).

WIGGINS, Grant. *Educative Assessment : Designing Assessments to Inform and Improve Student Performance*, San Francisco, Jossey-Bass, 1998.